Emprendedor, crear su propia empresa

Emprendedor, crear su propia empresa

Jorge Enrique Silva Duarte

Emprendedor, crear su propia empresa

Edición original publicada por Alfaomega Grupo Editor, S.A. de C.V., México D.F. México
ISBN: 978-970-15-1399-6

Editado por StarBook Editorial
Calle Jarama, 3A, Polígono Industrial Igarsa
28860 PARACUELLOS DE JARAMA, Madrid
Teléfono: (+34) 91 658 16 98
Fax: (+34) 91 658 16 98
Correo electrónico: starbook@starbook.es
Internet: www.starbook.es
ISBN: 978-84-92650-00-2
Depósito Legal: M-2.055-2009
Maquetación: Antonio García Tomé
Filmación e impresión: Closas Orcoyen, S.L.
Impreso en España

Andrea Carolina, Juliana,
Nathalia, Sofía
razón de ser de mi emprender

ÍNDICE

MENSAJE DEL EDITOR

Los conocimientos son esenciales para el buen desempeño de los profesionales. Estos les permiten adquirir habilidades indispensables para competir laboralmente. Durante el paso por la universidad o por las instituciones de formación para el trabajo, se tiene una gran oportunidad de adquirir conocimientos, que debe ser aprovechada para más tarde cosechar en beneficio propio y en el de quienes nos rodean.

El avance de la ciencia y de la técnica hace necesario mantener conocimientos actualizados, a riesgo de perder competitividad laboral y, eventualmente, bienestar. Cuando se toma la decisión de capacitarse para actuar como trabajadores profesionales, se firma un compromiso de por vida con los conocimientos que conforman un oficio específico.

Nos ocupamos de presentarles a los lectores los conocimientos dentro de líneas pedagógicas que faciliten su utilización y les ayuden a aprender y a desarrollar las competencias requeridas por una profesión determinada. Así mismo, combinamos las diferentes tecnologías de la información y las comunicaciones (IT) para facilitar su aprendizaje. Esperamos ser sus compañeros de por vida en este viaje por el conocimiento.

Nuestros libros están diseñados para ser utilizados dentro de los procesos de enseñanza-aprendizaje, y pueden ser usados como textos-guía del curso o como apoyo para reforzar el desarrollo profesional. Por ello, cada capítulo tiene objetivos y metas cognitivas concretas y la estructura de cada uno de ellos es fácilmente comprensible.

EL AUTOR

JORGE ENRIQUE SILVA DUARTE

Administrador de Empresas de la Universidad Autónoma de Bucaramanga, UNAB, de Colombia. Estudió Alta Dirección en University of London, Business School, de Gran Bretaña. Es máster en Administración (MBA) del Instituto de Empresa de Madrid, España, y máster en Gestión de Organizaciones (MSC) de la Universidad de Québec á Chicoutimi de Canadá. Se ha desempeñado como Decano de la Facultad de Administración de UNAB; Vicepresidente y Presidente de UNIMEC EPS S.A.; Presidente de SAUDIT S.A., Vicerrector Académico de la EAN, profesor de las universidades de Los Andes, EAN, UNAB, UIS, Surcolombiana, Rosario, Autónoma de Occidente y otras en Colombia. Actualmente es el Rector y Representante Legal de la Universidad EAN, en Bogotá, Colombia, www.ean.edu.co.

Como empresario, ha sido creador de empresas en los sectores hospitalario, educativo, agropecuario, metalúrgico, salud y consultoría. Autor de los libros *El Perfil del Empresario, De la administración tradicional a la administración por calidad* y *Cómo iniciar su propio negocio*.

PRÓLOGO

El consultor de empresas y prestigioso profesor universitario, Jorge Enrique Silva Duarte, presenta en esta obra, con un lenguaje actual y familiar, un novedoso soporte al perfil del emprendedor, fruto de su gran experiencia profesional.

El objeto del texto es animar a todos aquellos que poseen el valor para acometer acciones que sólo requieren decisión y voluntad para que logren exitosamente sus ideales. Este es un desafío mucho más digno de elogio en una sociedad agitada por las fuerzas y las tendencias de la globalización, la tecnología y la economía de hoy.

En la obra, en especial en la primera parte, el potencial emprendedor hallará los rasgos característicos de la personalidad y la tipología del empresario, lo que, a manera de vitamina, robustece la iniciativa y la capacidad para generar productos y servicios que satisfagan necesidades en el área en la cual va a ejercer influencia. Igualmente, le resultará interesante conocer la clara diferenciación que existe entre emprendedor, administrador y técnico, actores que cumplen funciones fundamentales al formar equipos de trabajo y cuya sincrónica armonía produce una sinfonía que hace crecer el entusiasmo, la creatividad y el sentimiento de pertenencia a una organización.

La segunda parte de este texto resuelve las inquietudes más frecuentes de las personas que desean establecer sus propios negocios, tales como qué empresa crear, cómo identificar ideas empresariales y el papel de la innovación como soporte.

La tercera parte, dedicada a quienes se inician en el mundo de los negocios, procura proporcionar nociones básicas sobre los temas que más inquietan a los empresarios, con el fin de que puedan buscar la asesoría necesaria y reconozcan aquellas áreas que presentan debilidades.

La cuarta y última unidad se destina al plan del negocio, herramienta en la que se concreta el proyecto empresarial. El tema se despliega mediante un enfoque sistémico y sencillo, basado en modelos empresariales empleados en las sociedades de alto desarrollo industrial y comercial. Incluye un software que permite hacer simulaciones para examinar la viabilidad de los proyectos imaginados por los emprendedores.

En su conjunto, este libro recuerda la introducción de la obra de Ilin-Segal, *Cómo el hombre llegó a ser gigante*, cuando el autor señala que hay en este mundo un gigante...

Con sus manos puede levantar una locomotora sin ningún esfuerzo, con sus pies puede caminar en un solo día miles de millas, con sus alas puede transportarse sobre las nubes a mayor altura que la que puede alcanzar un pájaro, con sus aletas puede nadar sobre la superficie de las aguas y bajo éstas mejor que cualquier pez, con su fuerza puede atravesar montañas y refrenar tumultuosas cascadas en medio de la corriente, transforma el mundo según le convenga; siembra bosques, une los océanos, riega los desiertos, ¿cuál es el nombre de este gigante? Este gigante es el hombre.

Jorge Enrique Silva Duarte reflexiona también sobre la incidencia de los emprendedores en la sociedad. Como ejemplo está Latinoamérica, esa vasta zona del mundo dotada de las mejores condiciones para garantizar a sus propios habitantes dignos niveles de vida, con sólo estimular e inculcar en las nuevas generaciones visiones renovadas para que se consagren a instaurar procesos permanentes de innovación. La promoción constante de la creatividad es una fortaleza que construye bienestar y, de paso, beneficia a las comunidades que hoy padecen la pobreza y la miseria.

En síntesis, este libro invita a saber cómo iniciar un negocio propio. En otras palabras, la manera para llegar a ser «ese gigante».

Hildebrando Perico Afanador
Consejero Fundador
Universidad EAN
Bogotá D.C., Colombia

INTRODUCCIÓN

EMPRENDEDORES, IMPULSORES DE LA SOCIEDAD

Es posible ilustrar el mito que existe en torno a la iniciativa emprendedora con una vivencia de un experimentado profesor de creación de empresas. Al plantear en uno de sus cursos la importancia, el papel y las formas como los emprendedores daban vida a sus negocios, un estudiante escéptico argumentó que era muy difícil crear empresas en un país como Colombia, pues la economía estaba en un ciclo recesivo y, además, para determinar qué tipo de negocio organizar se requería efectuar estudios profundos, con rigor analítico, basados en modelos sofisticados.

Para dar respuesta al alumno, el profesor le propuso un sencillo ejercicio: debía instalarse a la entrada de la Cámara de Comercio de la ciudad y observar cuántas personas acudían a registrar nuevas empresas; dialogaría con algunas de ellas sobre el tipo de metodologías que utilizaron para tomar la decisión de iniciar un negocio y examinaría sus propuestas. La conclusión a la que llegó el joven fue contundente: mientras los expertos hablaban de estancamiento y predecían una gran recesión económica, cientos de emprendedores estaban en actividad y gestaban nuevos proyectos, sin acudir al empleo de complejas técnicas o experimentos piloto para determinar la viabilidad de sus propuestas. Sólo recurrieron a un muy buen análisis cualitativo de la información disponible en su entorno; su más grande apoyo estaba en poseer una actitud innovadora, determinación para tomar los riesgos necesarios y algunas otras características asociadas a la personalidad de un resuelto emprendedor.

Los emprendedores poseen una actitud innovadora, determinación para asumir los riesgos y capacidad de gestión.

Para los emprendedores el futuro no existe; hay que imaginarlo y construirlo. Ese, además, es el fundamento del mundo de hoy y la base del crecimiento y de la competitividad. Lo descrito, vigente en la economía contemporánea, ha sido una constante en la historia de la humanidad y prueba la capacidad de la empresa para contribuir a la resolución de los problemas financieros de la producción y a la distribución de los recursos.

Hasta ahora el sistema económico basado en el espíritu de la libre empresa socialmente responsable, con el apoyo facilitador y orientador del Estado, se proyecta como el esquema más eficaz para producir bienestar. Los indicadores que comparan los desempeños empresariales de países con economías totalitarias con aquellos en los que la decisión del cliente tiene un valor fundamental prueban que el progreso de la humanidad se genera alrededor de la organización de estos últimos países. Muy atrás quedan quienes piensan que el futuro es una réplica del pasado o del presente y confían en la manipulación de los números como eventual soporte de sus decisiones.

Es indudable entonces que el progreso de las naciones es posible gracias a la acción cardinal de los emprendedores, que conforman un conglomerado de conocimientos y recursos para generar prosperidad. En un sistema abierto, cualquiera es libre de ensayar una idea original para un nuevo producto o servicio, concebir alguna forma diferente de comercializar o diseñar esquemas novedosos de organización empresarial. Detrás de estas acciones lo común es la existencia de un emprendedor que entraña el concepto de transformación.

El éxito que un emprendedor puede alcanzar en el mercado se propaga por toda la economía, dadas las correlaciones que determinan la cadena del valor, concepto que se analizará en la segunda parte de este libro. Esa es la razón de la interdependencia que existe entre los diferentes sectores y actividades de la sociedad.

El proceso de activación y dinamización en la economía se logra mediante la acción emprendedora, pues al convertir recursos de áreas de baja rentabilidad a las de alta, mediante lo que en 1911 Joseph Schumpeter llamó "destrucción creativa", se origina un aumento en la actividad comercial, y surgen mayores demandas para proveedores, más salarios para nuevos trabajadores y todos los demás fenómenos que se generan alrededor de una actividad empresarial exitosa.

Estas consideraciones señalan que las estrategias de desarrollo económico de los países no deben enfocarse particularmente sobre los factores económicos: tierra, trabajo y

NOTA:

El progreso de las naciones es posible gracias a la acción cardinal de los emprendedores, que entraña el concepto de transformación y de generación de prosperidad.

capital; deben agregar el análisis de la organización y la capacidad empresarial de la sociedad para aprovechar los recursos existentes.

La dimensión empresarial, como soporte cualitativo para lograr una mejor distribución de la riqueza, está centrada en el individuo, porque el problema de combinar factores de producción, de consumo y de distribución mediante criterios organizacionales recae en actos humanos, lo que reitera la importancia del papel de los emprendedores.

Los llamados medios de producción no generan progreso sin los hombres que crean la riqueza: los emprendedores. Las mejoras en la calidad de vida de un país están relacionadas con la excelencia de estos líderes, porque ellos son los actores capaces de poner al servicio de la sociedad el cambio, como soporte para el crecimiento económico y la posterior distribución de excedentes, dos de los más significativos indicadores del bienestar social.

El emprendedor no es un simple dependiente del trabajo y de la tierra, sino que define y busca el capital, da valor a la tierra y ofrece su propio trabajo para orientar la acción de otros en pos de resultados. Es un identificador de mercados y desarrollador de oportunidades; no es un optimizador de recursos sino su inventor.

Su misión como agente de cambio está señalada para que las distintas fuentes de innovación y creatividad sean el centro de crecimiento de la economía. Sus características lo llevan a estar viendo las oportunidades cuando otras personas no las ven; los negocios que otros no perciben.

El emprendedor es alguien que empieza a percibir que hay algo para hacer que todavía no existe... y lo hace, usando para ello la “empresa”, la “organización”, definida como un proyecto que se pone en ejecución.

En consecuencia, podría preguntarse si las diferencias entre países desarrollados y los menos desarrollados están más arraigadas por la falta de líderes emprendedores que por la escasez de recursos.

En líneas generales, los grandes cambios económicos, sociales y políticos ocurridos en la sociedad han tenido componentes de cultura empresarial, que han propiciado la aparición de líderes con auténticas características emprendedoras.

Las grandes corrientes del pensamiento económico fundamentan su doctrina en obtener el máximo posible de los recursos actuales y en establecer un equilibrio. Las escuelas económicas ortodoxas mantuvieron al emprendedor en la sombra, lo consideraban una variable más del entorno. Hoy la realidad muestra que Schumpeter tenía razón cuando afirmó que el progreso económico se obtiene como consecuencia del desequilibrio dinámico que produce el emprendedor.

GRANDES RETOS, GRANDES EMPRENDEDORES

Cuando le preguntan a Luciano Benetton como comenzó, su respuesta encierra la esencia del espíritu emprendedor: *"Creo haber tenido, al mismo tiempo, intuición y suerte, e incluso un poco de inconsciencia frente al riesgo. Entonces teníamos poco que perder".*

Él y su hermana Giuliana, la segunda de los cuatro hermanos Benetton, diseñadora de gran parte de los modelos que llevan la etiqueta, trabajaban a finales de los años 50 en el sector de los textiles y las prendas de punto. Tenían pocos estudios y venían de una familia que había sufrido las nefastas consecuencias de la Segunda Guerra Mundial: eran huérfanos de padre y debían sobrevivir. Luciano vendía jerséis y veía su trabajo como algo muy poco atrayente. *"Me di cuenta"*, dice Luciano, *"que sería suficiente con tener una buena idea, pues el boom económico estaba a las puertas y el sector podía entrar en una gran expansión".*

La idea surgió durante los Juegos Olímpicos de Roma, en 1960, cuando Italia se llenó de jóvenes turistas, que andaban con sacos de dormir y grandes y deslucidos jerséis que los cubrían de pies a cabeza. Por aquella época la lana sólo se consideraba una defensa contra el frío; había pocos colores y los modelos eran casi iguales. Para Luciano Benetton, un muchacho de unos 20 años, esos viajeros fueron como una iluminación: pensó que debería haber prendas de punto deportivas, prácticas, pero al mismo tiempo alegres. Así empezó su aventura.

Con 30 mil liras, muy poco incluso en aquellos días, él y su hermana compraron una tejedora de segunda, la instalaron en su casa, y comenzaron a levantar su primera industria, un depósito de 144 metros cuadrados. Después, darían el gran salto con la ayuda de otro emprendedor: un buen arquitecto que proyectó la auténtica fábrica, el famoso Tobia Scarpa, quien aceptó ser pagado sólo cuando los negocios anduviesen bien.

En el año 2005, los ingresos de Benetton se calcularon en 1.765 billones de €. Esa es la historia de la industria que se emprendió en un pequeño pueblo italiano, que hoy cuenta con algo más de cinco mil almacenes, distribuidos en más de 120 países de los cinco continentes.

Luciano Benetton

UNIDAD 1

CREADORES DE EMPRESA

OBJETIVOS

1. Identificar los componentes de la conducta emprendedora.
2. Establecer los atributos y las motivaciones que inspiran la personalidad del emprendedor.
3. Reconocer los contextos en los que es posible desarrollar la iniciativa emprendedora.
4. Examinar las actitudes relacionadas con la iniciativa de emprender.
5. Describir las situaciones que desencadenan la actitud emprendedora.

INTRODUCCIÓN

La primera unidad de este libro tiene como fin estimular el talante emprendedor del lector, a partir del reconocimiento de diferentes características humanas, referentes al desarrollo de la iniciativa emprendedora.

Es posible dar inicio a este propósito con la pregunta concerniente a cómo se puede esquematizar y asegurar la efectividad del proceso para afianzar la decisión de emprender. La respuesta es sencilla: con la intención de asumir como proyecto existencial el rol de emprendedor, lo que se logra cuando se activan en forma armónica y secuencial los factores que aparecen en los vértices del siguiente triángulo:

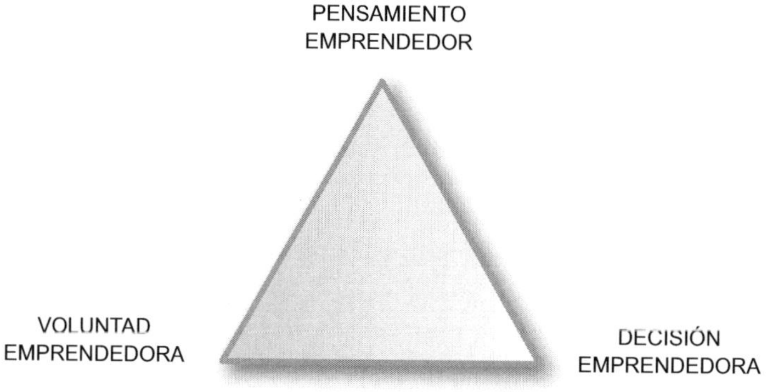

PENSAMIENTO EMPRENDEDOR

VOLUNTAD EMPRENDEDORA

DECISIÓN EMPRENDEDORA

En lo referente al pensamiento emprendedor, con lo que se expone se pretende una comprensión contextualizada en el entorno particular de cada lector sobre las características humanas del emprendedor, alrededor de la fuente del talento empresarial.

Se analizan las fuerzas internas que consolidan esas características y las potencias externas, que las promueven o las limitan. Se consideran factores externos que estimulan la acción de emprender los aspectos económicos, políticos, sociales, tecnológicos, la cultura laboral, los modos de convivencia organizacional, el medio familiar y la influencia de la formación educativa, entre otros. Como internos, los elementos asociados a la personalidad de cada individuo.

Sobre la voluntad emprendedora, el texto busca consolidar la intención estratégica de integrar el proyecto de vida de cada quien con un proyecto emprendedor. Se conoce que quienes tienen éxito poseen una voluntad a toda prueba para concretar sus iniciativas; ella es el soporte consciente de la decisión de iniciar el camino hacia la actividad emprendedora.

Por último se aborda la decisión emprendedora. Con pensamiento y voluntad, quien acepta el reto debe concluir con la declaración “vamos hacia delante” y elaborar un plan de acción que contenga metas por lograr, actividades que va a realizar, recursos que debe gestionar y comprometer, y fechas para cumplir.

Como mecanismo para afianzar conceptos, aclarar el proyecto de emprender y afianzarlo como opción de vida, se formulan preguntas para la reflexión e interiorización del tema en blanco a continuación de la sección *Voces para la conciencia emprendedora*.

Capítulo 1

EL PERFIL DEL EMPRENDEDOR

1.1 EL CONCEPTO DE EMPRENDEDOR

Detrás de cada empresa siempre existe la personalidad de su creador o gestor. Es posible indagar sobre si los fundadores de empresa constituyen una raza de superhombres, entre otras muchas cosas. ¿A quiénes se parecen, quiénes son, cómo y cuándo tuvieron la idea, cuáles han sido las mayores dificultades al establecerse por su cuenta? No es suficiente identificar la posibilidad de realizar un gran negocio si no hay quien lo cristalice.

El término *emprendedor* proviene de las locuciones latinas *in*, *en*, y *prendĕre*, coger, cuyo significado es acometer o llevar a cabo. Por extensión, y probablemente por influencia del francés y del italiano, lenguas en las que *empresario* se dice *entrepreneur* e *imprenditore* respectivamente, el vocablo se utiliza para señalar a quien inicia una empresa. En consecuencia, **emprendedor** es quien aborda la aventura de un negocio, lo organiza, busca capital para financiarlo y asume toda o la mayor acción de riesgo. Por lo anterior, se concluye que los emprendedores son los principales agentes de cambio de la sociedad.

Simbólicamente, miles de emprendedores exitosos pueden ser mencionados. Lo común es que estas personas y otras como ellas originen cambios, produzcan una variedad de oportunidades de trabajo y sirvan como modelo para inspirar una nueva generación de emprendedores. Además, consiguen grandes recompensas para sí mismos y para los inversores que los respaldaron.

GRANDES RETOS, GRANDES EMPRENDEDORES

Cristóbal Colón, verdadero emprendedor, organizó su viaje a América con el respaldo de la reina Isabel, en una aventura capitalista. De hecho, logró conseguir los fondos de inversión para desarrollar su empresa de exploración mediante el uso del concepto del conocimiento imperfecto[1].

Se podría pensar que el Almirante con su plan de negocios no logró comprometer al primer inversor a quien le propuso la aventura exploratoria, el Reino de Portugal. Probablemente Colón creyó que como los lusitanos eran avezados navegantes, con conocimientos de las rutas para el comercio, les interesaba la alianza entre su iniciativa emprendedora y la comprensión del negocio por parte de ellos; no obstante, otra es la realidad de la Historia y finalmente los Reyes de España de aquel entonces apoyaron y financiaron la aventura.

La cuestión es ¿por qué los portugueses descartaron la cooperación con Colón? La razón es evidente. Gracias a sus experiencias pensaron que la ruta hacia las Indias que el Almirante proponía no era posible ni más efectiva que la que ellos ya tenían; aunque su conocimiento era imperfecto, con base en la constante observación, desecharon la idea. España, por su parte, utilizó el descubrimiento de América para fortalecer su posición económica, pues en ese momento conocían menos que los portugueses el asunto de la navegación. Colón, como emprendedor, aprovechó la circunstancia de estar en *el lugar adecuado, en el momento oportuno y poseer las capacidades necesarias para sacar partido de la situación presentada.*

1.2 EMPRENDEDORES Y EMPRESARIOS

En esta época, como un claro reconocimiento del papel de estos creadores de progreso en la sociedad, las naciones o estados y sus instituciones promueven la formación de sus gentes en diversas profesiones, artes, oficios y técnicas, con el matiz contemporáneo de estimular el desarrollo de la iniciativa emprendedora y el espíritu de empresa. La tasa de creación de nuevas empresas en los diferentes países es un indicador que evidencia esta tendencia.

Se sabe que los emprendedores se lanzan a realizar sus proyectos, sea por necesidad o por oportunidad, pero finalmente crean trabajo para sí y para otros y eso es un

1 SCHUMPETER, Joseph. *Teoría del desenvolvimiento económico.*

elemento vital para la convivencia humana. Más allá de los inductores materiales –como incrementar los ingresos económicos, por ejemplo—, el emprendedor se hace cargo de tareas que van a trascender y que por su sentido contribuirán a la mejora de la calidad de vida de un conjunto de la población. Desde esta perspectiva, todos los seres humanos deberían tener espíritu emprendedor, porque vivir es emprender. Parafraseando a Nietzsche, *cada acto de respirar es un esfuerzo de poner la vida en marcha*.

En una sociedad que estimula la libre iniciativa, los emprendedores, una vez que consolidan y afianzan sus características, deberían, por consiguiente, ser empresarios; sin embargo, existen factores inhibidores de la iniciativa y el espíritu empresarial, que se detallan adelante, que causan situaciones como la de que no todos los emprendedores lleguen a ser empresarios y no todos los empresarios posean espíritu emprendedor.

Lo anterior es factible, pues así como el concepto de emprendedor encierra una connotación ética y unas características personales, el de empresario hace alusión a una ocupación, a pesar de las valoraciones sociales, económicas y políticas que implica esa condición. Desde luego, se debe estimular y lograr que el esfuerzo colectivo por emprender acciones se traduzca en mayores tasas de creación de empresas innovadoras y en la madurez de las ya creadas.

Clarificado lo anterior, quedan varias inquietudes: ¿de dónde surge el talento empresarial? ¿De dónde vienen los conocimientos y la dedicación? ¿La gente nace con competencias empresariales? ¿Los emprendedores han sido entrenados? ¿Qué incentivos y energía poseen para explotar oportunidades?

Todas estas preguntas constituyen un rompecabezas, porque los emprendedores no se pueden estandarizar y reducir a un modelo mecánico. Sin embargo, es posible puntualizar algunas características y modos de intervención en diferentes escenarios de la vida, que tienen una influencia determinante en el desarrollo de la iniciativa emprendedora.

La diversidad de fuerzas internas y externas, relacionadas con la fuente del talento emprendedor, que funcionan como trazadores o guías de la actividad, se pueden dirigir, orientar y afianzar para lograr el desarrollo de la potencialidad.

Muchos emprendedores no llegan a concretar proyectos por factores del entorno, como el exagerado intervencionismo del Estado, las regulaciones, el elevado coste de

NOTA:

Emprendedor es quien aborda la aventura de un negocio innovador, lo organiza, busca capital para financiarlo y asume toda o la mayor acción de riesgo.

capital, la democratización de la propiedad, la actitud de la sociedad hacia el trabajo independiente, la valoración social del emprendedor y, en fin, todo el proceso necesario para crear y mantener empresas. En estos casos se trata de agentes, susceptibles de manejar.

VOCES PARA LA ACTITUD EMPRENDEDORA

Imagine cómo va lograr estar en el lugar adecuado (dónde y quiénes toman las decisiones a favor del proyecto), en el momento oportuno (cuándo) y con las capacidades necesarias para aprovechar la ocasión (competencias con las que se cuenta); la próxima vez proponga a alguien un negocio.

Capítulo 2

COMPONENTES DE LA INICIATIVA EMPRENDEDORA

La generación de nuevos emprendedores requiere un ambiente especial que propicie las iniciativas y que estimule la participación de patrocinadores en los proyectos de creación de empresas, mediante alternativas, como fondos de capital de riesgo, capital semilla o inversores ángel.

Crear una empresa supone pasar de la vacilación a una certidumbre posible y significa asumir niveles de riesgos que van más allá de lo comercial y lo financiero, pues se involucran aspectos emocionales esenciales en la voluntad y decisión de emprender.

Los aspectos que señalan la ruta hacia el desarrollo de la iniciativa emprendedora se agrupan, en fuerzas externas e internas, las cuales se exponen a continuación.

NOTA:

Crear una empresa supone pasar de la duda a una evidencia posible.

2.1 FUERZAS INTERNAS

Son los aspectos asociados al desarrollo de la personalidad y reflejan características humanas de un emprendedor.

En ese orden de ideas se detecta una gran variedad de características que orientan el comportamiento empresarial presente y futuro de un emprendedor. Las más destacados son:

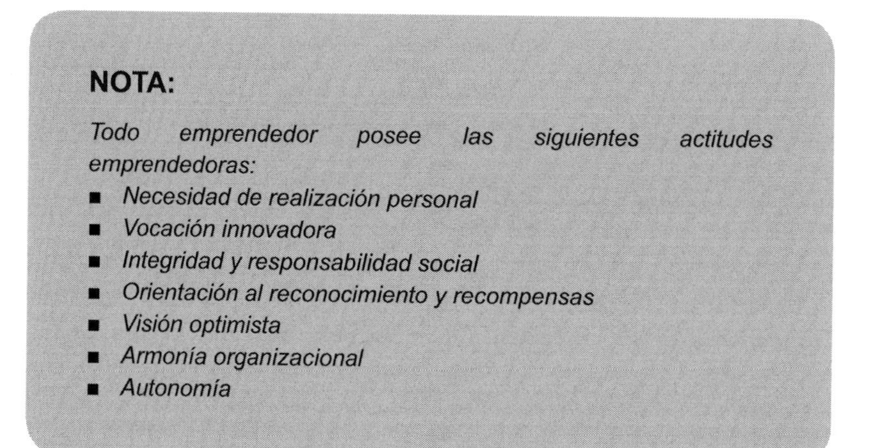

NOTA:

Todo emprendedor posee las siguientes actitudes emprendedoras:

- *Necesidad de realización personal*
- *Vocación innovadora*
- *Integridad y responsabilidad social*
- *Orientación al reconocimiento y recompensas*
- *Visión optimista*
- *Armonía organizacional*
- *Autonomía*

a. Necesidad de realización personal

Todos los emprendedores perciben que mediante la concreción de proyectos experimentan una fuerza interior relacionada con el sentido de realización personal.

Un emprendedor es alguien que observa e identifica que hay algo para hacer y resolver... y, entonces, lo hace responsablemente.

Esta característica se reconoce en un individuo cuando muestra en la acción alguno de los comportamientos relacionados a continuación:

- El emprendedor se propone objetivos retadores, los cuales alcanza en el tiempo dentro de su ruta de desarrollo. Para lograrlos, identifica e inventa recursos y formas creativas.

- Lidera y realiza transformaciones en la sociedad o comunidad donde está vinculado. Lo hace al crear productos, servicios o nuevas formas de organización que trascienden más allá de un simple negocio económico.

- Percibe cada insatisfacción, problema o dificultad que observa en la humanidad y en sus relaciones de transacción con el medio. El diseño y la puesta en marcha de propuestas de solución eficaces son para él una forma de realización personal.

NOTA:

Mediante la concreción de los proyectos que impulsan, los emprendedores experimentan la realización personal.

b. Vocación innovadora

La innovación como actitud es una fuente esencial en el desarrollo del espíritu emprendedor, quien hace de esta característica algo existencial. Es decir, actúa con la premisa de que cada producto, servicio o situación contiene en sí mismo una oportunidad de ser mejorado, como soporte de la posibilidad de hacer empresa.

Este rasgo es evidente cuando el individuo muestra en su quehacer alguno de los siguientes comportamientos:

- Imagina permanentemente formas novedosas para satisfacer necesidades y deseos latentes en la humanidad.

- Analiza y concreta proyectos que satisfacen a la sociedad con flexibilidad, aun cuando cambien las premisas que dieron lugar al actual objeto de satisfacción o producto.

- Reconvierte la información, los acontecimientos o las experiencias gratificantes o negativas en oportunidades para crear alternativas de solución, e integra al proceso nuevos recursos relacionales, estructurales y humanos.

NOTA:

La innovación como actitud es fuente esencial del desarrollo del espíritu emprendedor.

c. Integridad y responsabilidad social

Los emprendedores íntegros son ética, moral y legalmente responsables; es decir, tienen la capacidad de garantizar sus actos y asumen las consecuencias de los mismos.

Esta característica se revela cuando actúan de la siguiente manera:

- Reconocen las implicaciones que tiene en la sociedad la decisión de emprender un proyecto, más allá de sus beneficios económicos; analizan de manera responsable los impactos sociales, culturales, humanos que puedan causar y son conscientes del cuidado del medio ambiente como soporte de la vida.

- Utilizan formas de comunicación positiva y asertiva; al tiempo, protegen los valores particulares y colectivos de los individuos involucrados en la iniciativa que se va a emprender, en sus distintos roles: clientes, proveedores, accionistas, sociedad en general, trabajadores.

- Incorporan el desarrollo humano y de la sociedad donde opera o va operar el proyecto como un producto importante de la acción empresarial.

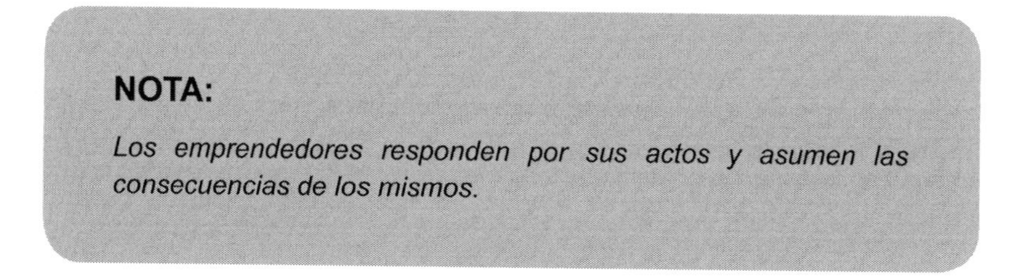

NOTA:

Los emprendedores responden por sus actos y asumen las consecuencias de los mismos.

d. Orientación al reconocimiento y recompensas

Los emprendedores desean llevar a cabo sus propósitos, trabajar duro y tomar responsabilidades, pero también aspiran a ser recompensados generosamente por sus esfuerzos. Las recompensas pueden ser monetarias, o de otras formas, tales como el reconocimiento individual y el prestigio social.

Este rasgo se manifiesta en conductas como:

- Esperan recompensas sólo cuando alcanzan los resultados.

- Diseñan alternativas económicas o de otro orden, de tal manera que sea factible otorgar recompensas, incentivos y reconocimientos, a partir de la gestión propia; es decir, son inventores de nuevos recursos que permiten que el mismo proyecto retribuya sus realizaciones.

- Reconocen y aceptan que hay compensaciones mucho más sustanciales que los mismos estímulos económicos generados por un proyecto.

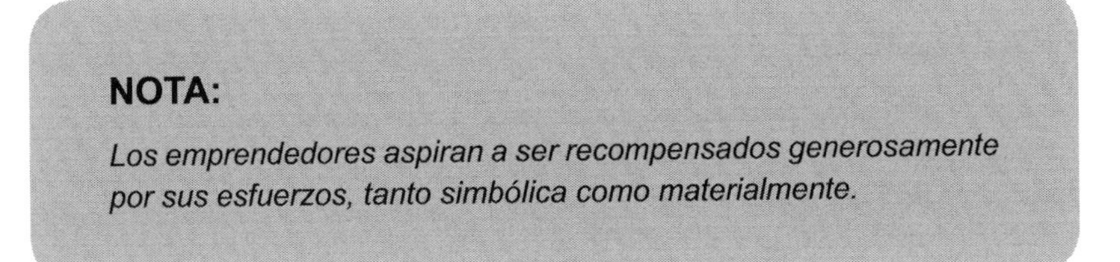

NOTA:

Los emprendedores aspiran a ser recompensados generosamente por sus esfuerzos, tanto simbólica como materialmente.

e. Visión optimista

Los emprendedores viven con la filosofía de que todo tiempo es bueno y todo es posible de realizar. Inclusive los períodos de crisis son de su preferencia para innovar. Generalmente los emprendedores son inmunes al "síndrome de la desesperanza aprendida". El optimismo no debe entenderse como utopías descontextualizadas, sino como el ejercicio de la capacidad de influencia que deben tener los emprendedores en los demás para generar nuevas visiones en la sociedad.

Esta particularidad es evidente en comportamientos como los que se describen a continuación:

- El emprendedor asume el liderazgo para desarrollar innovaciones y cambios que generen imaginarios y logros colectivos que ayuden al progreso de la sociedad.

- Toma los eventuales fracasos en sus iniciativas emprendedoras como una fuente de aprendizaje para reinventarse y orientarse permanentemente.

- Genera entusiasmo y esperanza alrededor de los nuevos proyectos y desmitifica la toma de riesgos implícita en toda iniciativa emprendedora.

NOTA:

En los períodos de crisis los emprendedores encuentran una ocasión para innovar.

f. Armonía organizacional

La mayoría de los emprendedores armonizan muy bien todos los recursos que necesitan para acometer su iniciativa empresarial. Delegan la autoridad requerida, establecen una estructura de operación simple, cuyo foco de acción es el cliente, y trabajan para hacer crecer al ser humano que comparte con él la acción de riesgo.

Se manifiesta el rasgo en actitudes, como:

- Liderar proyectos concretos que eliminen todas aquellas actividades que no aporten valor, pues el emprendedor considera que ellas no contribuyen al bienestar del ser humano.

- Organizar redes de relación que permitan adquirir conocimientos, experiencias, que simplifiquen el día a día y la operación del modelo de negocio, lo que permite concentrarse en nuevos objetivos.

- Promover con su ejemplo un ambiente positivo en la organización, y cuidar su estilo de comunicación, de tal manera que sus expresiones mejoren el autoconcepto institucional y refuercen la autoestima de las personas.

g. Autonomía

Un emprendedor desarrolla la capacidad de pensar por cuenta propia, de identificar el camino que se va a seguir, valorar los riesgos que asume en relación con los resultados que espera, y toma con madurez las consecuencias de sus decisiones en términos de aciertos y errores.

Se hace visible esta cualidad porque el emprendedor:

- No necesita órdenes o instrucciones específicas para identificar permanentemente los problemas, que define por autogestión al establecer la diferencia entre una situación real y una deseada.

VOCES PARA LA ACTITUD EMPRENDEDORA

- Señale seis comportamientos asociados a los anteriormente descritos que sean evidentes en su actuar.
- ¿Qué plan tiene para afianzarlos y obtener ventaja emprendedora en su día a día?

- A partir de la observación del contexto, diseña su propia agenda de trabajo.
- Articula las redes de cooperación y de relaciones, lo que va evidenciando su capacidad para entusiasmar y comprometer a otros con sus proyectos.

NOTA:

Los emprendedores equilibran y ligan muy bien todos los recursos que necesitan para desarrollar su iniciativa empresarial.
La capacidad de pensar por cuenta propia es uno de los mayores atributos del emprendedor.

GRANDES RETOS, GRANDES EMPRENDEDORES

* En 1996, *Pedro Gómez Barrero*, uno de los más grandes constructores colombianos, presentó dificultades económicas, incluso se vio en la necesidad de entregar casi todos y sus más preciados bienes personales: la finca de 240 hectáreas que tenía en la tierra de sus ancestros, las obras de arte que más disfrutaba, el hotel Santa Teresa, en Cartagena, cuya construcción costó más de 20 millones de dólares y que entregó por 8 millones de dólares. En fin, su situación era tan difícil que incluso el empresario cuenta que comenzó a preocuparse por el futuro económico de su familia. No obstante, *Pedro Gómez* no perdió las herramientas que más le habían servido en la vida: su espíritu emprendedor y la imagen que con sus acciones había proyectado al mundo.

En el año 2000, con más de 70 años, le proponen un gran proyecto: construir *Multicentro* en Panamá. *Pedro Gómez* acepta el reto y emprende la construcción de lo que tres años después surge como una mole de doscientos mil metros cuadrados, una de las mayores superficies comerciales de gran lujo en el mundo, que deja constancia del empeño y el coraje que caracterizan a un verdadero creador de empresa.

* http://www.revistadiners.com.co/noticia.php3?nt=23517.
http://www.revistadiners.com.co/noticia.php3?nt=23098

2.2 LA PERSONALIDAD EMPRENDEDORA

Se ha señalado que detrás de cada organización siempre está la personalidad de su creador o gestor, y esa circunstancia se convierte en determinante del éxito y la permanencia de la empresa naciente.

No existe proyecto humano alguno que en cierto momento sólo fuera una idea en la mente de un visionario emprendedor. Por ello, se reitera la teoría de que sin los emprendedores el progreso de la humanidad no habría sido posible.

Sin pretender un análisis reduccionista, numerosos estudios han encontrado una convergencia de atributos en la personalidad de muchos creadores de empresa. Examinarlos permite proporcionar una imagen de los emprendedores, que puede contrastarse con la de aquellos con quienes se comparte el entorno social.

Para explorar los elementos constitutivos de la personalidad emprendedora, es válido agruparlos en tres categorías: los que perfilan el carácter del individuo, aquellas cosas que lo motivan y sus atributos intelectuales.

Atributos del carácter	Motivaciones	Atributos intelectuales
Dinamismo	Realización de sí mismo	Polivalencia de competencias
Perseverancia	Independencia	Eficacia
Facultad para dominar la ansiedad y la tensión	Prestigio social	Habilidades para planificar y concretar los objetivos
Afición al riesgo calculado	Logro	Enfoque estratégico e imaginación creadora
Sensibilidad a las relaciones sociales	Realización de un ideal	Juicio crítico y reacción positiva ante las dificultades y las observaciones
Fácil adaptación		Curiosidad intelectual y percepción
Elevado nivel de aspiraciones		

2.2.1 Atributos del carácter

De los elementos relativos al carácter, el dinamismo y la perseverancia son el motor que activa el deseo persistente de llevar a cabo una acción empresarial.

La facultad para dominar la ansiedad y la tensión es un rasgo que -orientado positivamente- permite al emprendedor desarrollar una sensibilidad que ayuda a percibir oportunidades de negocio y mejorar la productividad.

Ser emprendedor implica asumir riesgos objetivamente calculados; tener un comportamiento audaz e intrépido, pero de ninguna manera apuntado hacia el fracaso. Es evidente que quien no está dispuesto a afrontar un riesgo calculado no puede ser emprendedor. Las personas con espíritu empresarial suelen tener éxito en la mayoría de ocasiones, porque por definición no son arriesgados.

Emprender o innovar, como cualquier actividad económica, siempre implica una tasa de riesgo, pero esa contingencia puede estudiarse con anticipación y, por lo tanto, reducirse considerablemente. La política de defender el ayer, es decir, la estrategia de no innovar, en contraposición, resulta siempre la postura más arriesgada para cualquier organización.

El buen innovador tiende a ser mesurado, analiza y evalúa las coyunturas; conceptualmente no está concentrado en el riesgo, sólo en la oportunidad: se trata evidentemente de dos cosas muy distintas.

Quien es capaz de transformar calcula escrupulosamente los riesgos; sus empresas contienen principios fundamentales que la experiencia ha señalado como soportes de éxito. Esto se refiere al principio de las tres P:

- P de *People* -Gente
- P de *Project* -Calidad de proyecto
- P de *Profit* -Beneficios

Con estos ingredientes, la tasa de riesgo se minimiza.

La sensibilidad a las relaciones sociales y la fácil adaptación habilitan al emprendedor para percibir y entender lo que acontece en los diferentes contextos y aumentar su capital relacional.

Anteriormente se mencionó que para la innovación es necesario imaginar nuevos recursos relacionales, estructurales y humanos. Uno de los aspectos que se consideran estratégicos para un emprendedor es aprovechar y acrecentar el número y calidad de redes de contactos: proveedores, clientes, potenciales inversores; esto es, el capital relacional. ¿Cuánto valor tendrán en un proyecto las redes de relación ya consolidadas?

2.2.2 Motivaciones

Para el caso de lo que incide en la personalidad de los emprendedores se consideran cinco componentes:

- Realización de sí mismo.
- Independencia.
- Prestigio social.
- Logro.
- Realización de un ideal.

Ellos corresponden a una parte de las necesidades humanas señaladas por psicólogos expertos en organizaciones. El emprendedor busca su satisfacción a través de la puesta en marcha de sus empresas. Sin embargo, en él priman los motivadores de logro y la realización de ideales, éstos son el *Logos*, en el sentido utilizado por los griegos, es decir, la razón de ser o el principio que dirige su acción emprendedora.

2.2.3 Atributos intelectuales

Como punto de partida se considera que el emprendedor posee:

- Polivalencia de capacidades.
- Eficacia.
- Habilidad para planificar y concretar los objetivos.
- Imaginación creadora.
- Juicio crítico y reacción positiva ante las dificultades y las observaciones.
- Curiosidad intelectual y percepción.

La actitud de estar observando el comportamiento de la sociedad para identificar oportunidades le da ventajas a quien pretende comprender de forma significativa todos los procesos, actividades y tópicos. Además, lo faculta para ser capaz de relacionar diversas temáticas que aparentemente no tienen ninguna conexión. Esta habilidad es lo que se conoce como *pensamiento complejo*, o sea, el que vincula y facilita la interacción cómoda con el

VOCES PARA LA ACTITUD EMPRENDEDORA

Reflexione sobre las tres características de su personalidad como emprendedor que le permiten obtener beneficios.

medio, sin importar la diversidad de especialistas en oficios, ocupaciones, saberes y disciplinas que haya que enfrentar.

La eficacia es un criterio que permite tener protagonismo en la sociedad. Esto explica por qué el emprendedor se mide por el grado de logro de sus objetivos. Por ello cuenta más lo que hace que lo que dice.

El emprendedor eficaz es fácil de identificar. Prefiere:

- Hacer lo que se necesita, en vez de hacer bien lo que le han señalado.
- Producir alternativas creativas, en lugar de matizar el efecto de los problemas.
- Mejorar la utilización de recursos y no centrarse en cuidar su ejecución.
- Lograr resultados, más que cumplir con sus funciones.
- Aumentar ingresos, en vez de focalizarse exclusivamente en la reducción de costes.

2.3 FUERZAS EXTERNAS

Los aspectos del entorno o del medio ambiente influyen en la acción emprendedora. En la medida en que esos factores sean coherentes con la mentalidad empresarial, se encontrará un clima favorable para la aparición de nuevos creadores de negocios.

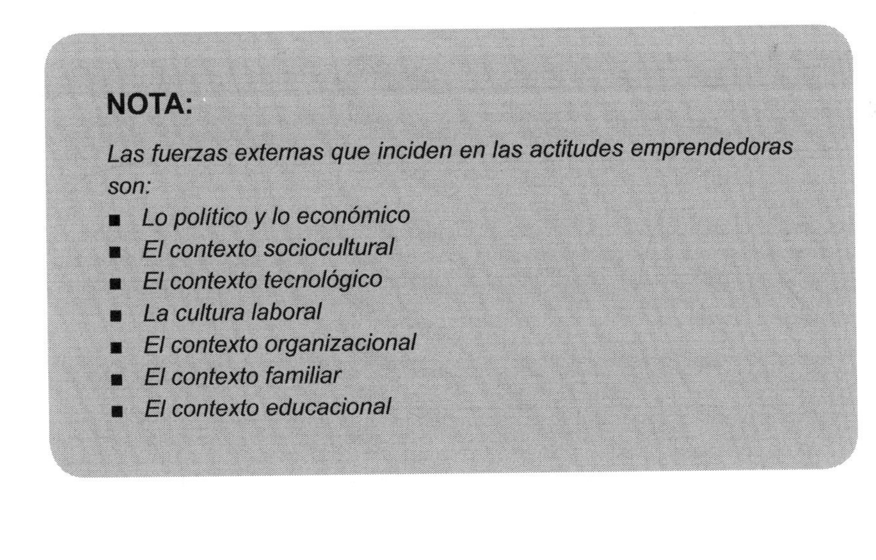

NOTA:

Las fuerzas externas que inciden en las actitudes emprendedoras son:

- *Lo político y lo económico*
- *El contexto sociocultural*
- *El contexto tecnológico*
- *La cultura laboral*
- *El contexto organizacional*
- *El contexto familiar*
- *El contexto educacional*

Las principales fuerzas externas que se deben considerar son:

a. Lo político y lo económico

Las directrices que concretan el pensamiento político de los gobiernos señalan un marco que puede estimular o inhibir la aparición de nuevas empresas. Los objetivos y estrategias económicas de cada período son una resultante de la filosofía política de los dirigentes públicos. Fundamentalmente lo relacionado con políticas explícitas para el crecimiento (PIB), manejo de la inflación, tasa de cambio, relaciones internacionales, subsidios e impuestos, crédito de fomento, aranceles, salarios y Seguridad Social, parafiscalidad; en fin, el intervencionismo estatal como regulador de la economía actúa como palanca o freno, según sus enfoques, alcances y circunstancias, en el proceso empresarial.

La concepción burocrática de la organización de un país incide en la creación de empresas. En algunas sociedades, la cantidad de trámites y el intervencionismo estatal no armonizan con el esfuerzo del emprendedor. El acto de creación de una empresa debería ser lo más sencillo posible, mediante procesos integrados alrededor de un registro único que concentre lo tributario nacional y local, así como todas las transacciones asociadas a la interacción del emprendedor con el Estado. Se trata de hacer que los costes de transacción sean lo mínimos posibles y que su recaudación sea automática.

Todas las tasas, contribuciones e impuestos derivados de la decisión de emprender (registro mercantil, impuestos a la renta, impuesto al valor agregado, trámites de importaciones, contribuciones parafiscales, etc.) deberían estar concebidos de manera sistémica e integrada, y debería ser posible acceder a ellos a través de medios electrónicos para que no se trasladen al ciudadano procedimientos administrativos que se imputan a su tiempo, cuando él sólo debería contribuir con el pago de sus obligaciones tributarias.

Se requiere, entonces, la formulación y alineamiento de toda la política pública para estimular una nación emprendedora. Esto significa estímulos en los planes de desarrollo, exportaciones, vocaciones regionales y posibilidades en las cadenas del valor, enfoques educativos que propicien el desarrollo de competencias -desde el preescolar hasta la formación avanzada-, créditos para crear empresas, incentivos para adoptar tecnologías para la innovación y mejor valoración social del emprendedor.

NOTA:

La orientación que se le dé a la política pública estimula o inhibe la iniciativa emprendedora.

Las disciplinas trazadoras del entorno social, como la política, la economía y el derecho, tienen ahora un nuevo reto: desarrollar la supraestructura de administración pública que concentre todos los instrumentos y la normatividad para estimular la iniciativa emprendedora.

b. El contexto sociocultural

Lo social y cultural está relacionado con el comportamiento grupal de la comunidad en lo referente a niveles y distribución del ingreso, estratificación y movilidad social, nivel educativo, tasas demográficas y de morbilidad, migraciones planeadas o espontáneas, diferencias por imaginarios regionales, creencias, mitos y rituales, hábitos de consumo, estilos de vida, tamaño de la familia, uso del tiempo libre y expectativas sobre el mismo, visión sobre el futuro, y todo aquello que configura el perfil sociocultural de una población.

Las tendencias que se encuentren en uno u otro sentido influyen en la decisión e iniciativa de emprender. En este contexto, debe asegurarse la supervivencia de la empresa naciente, pues depende en gran medida de la coherencia que se establezca entre la organización y el comportamiento sociocultural de los consumidores, trabajadores, proveedores y demás personas de una u otra forma vinculadas al proyecto.

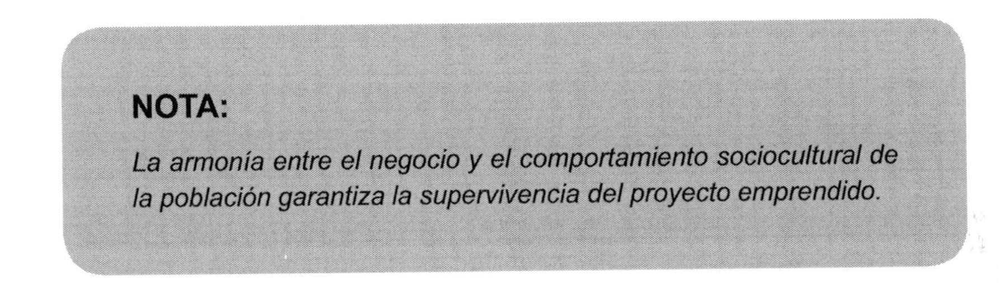

NOTA:

La armonía entre el negocio y el comportamiento sociocultural de la población garantiza la supervivencia del proyecto emprendido.

c. El contexto tecnológico

La variable tecnológica tiene una importancia fundamental puesto que su nivel de generación o de transferencia incide en el tipo de proyecto que se puede abordar.

En los países en vías de desarrollo, la relación tecnológica es una oportunidad para emprender mediante un particular enfoque, tal como se explica más adelante en lo relacionado con el ciclo de vida internacional y las posibilidades de negocios para países en desarrollo.

La disponibilidad de políticas e instrumentos para la generación y apropiación tecnológica, el acceso a la conectividad, el estímulo a la inserción a cadenas productivas con que generen valores agregados, son factores clave para desarrollar nuevos negocios.

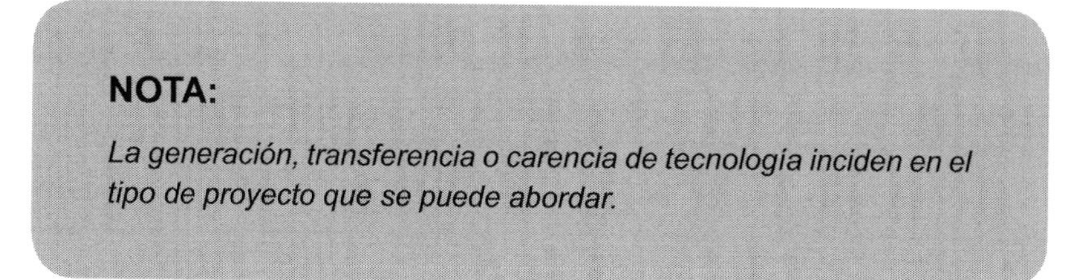

d. La cultura laboral

Esta variable se refiere a las formas de pensar y a los valores compartidos en una sociedad con referencia a las maneras de generar ingresos. Esas concepciones algunas veces operan como inhibidores de la actividad empresarial.

Algunas percepciones arraigadas en la sociedad aumentan el temor que se tiene ante la posibilidad de trabajar por cuenta propia, por ejemplo:

- La decisión de dejar de ser asalariado.
- El temor a perder la cobertura de la Seguridad Social que tiene quien se encuentra trabajando en una empresa, y la amenaza de perder la pensión de jubilación ante un eventual retiro.
- Renunciar a los símbolos de posición social que generan los cargos gerenciales.

Los principios de *Parkinson*[2] explican esa forma de pensamiento tan afianzada en la cultura occidental. Dos de esos principios, que desestimulan la iniciativa emprendedora, son:

- **Principio o Ley del Trabajo.** "Un trabajo siempre se prolonga de manera que se tome todo el tiempo disponible para él". Tal premisa refuerza en los funcionarios una actitud de aproximación pasiva que contiene en sí misma una paradoja. Actuar de esa forma hace gratificante el día a día del empleado por su mínima responsabilidad; esto es, a menos tareas realizadas, menos posibilidad de insatisfacción en los beneficiarios de su acción; pero, al tiempo, esa condición conduce a la rutina, al conformismo y a la pérdida de la capacidad creativa del ser humano, lo que empobrece la capacidad emprendedora.
- **Principio de la jubilación.** En el mundo de la empresa, en la dinámica del absurdo de la cultura laboral, a mayor acumulación de aprendizaje y experiencia, es mayor el riesgo de ser separado de las líneas de influencia y poder

2 PARKISON C. Northcote. A loi de Parkison. São Pablo: Pionera, 1984.

organizacional o ser retirado de la empresa. La conducta humana puede ser moldeada por tres tentaciones: el poder, la figuración y la territorialidad, aspectos que orientan la acción y producen movilidades laborales, que en algunos casos son inexplicables al afectar a personas con elevado talento emprendedor.

Las organizaciones usualmente trasladan a cargos simbólicos sin alcance de decisión a aquellas personas de las cuales no pueden desprenderse por razones más afectivas que racionales. Otro manera de movilizarlas es mediante la liquidación anticipada y consentida por el trabajador para una eventual pensión de jubilación. Estas prácticas validan los planteamientos de Parkinson. Pensar que se trabaja para obtener una pensión de jubilación arraiga la mentalidad dependiente, la cual se enfatiza cuando se supera el 50% del tiempo requerido para acceder a este beneficio laboral.

Desde una visión positiva y lógica, trabajar para una empresa es una oportunidad de afianzar la actitud emprendedora, siempre y cuando ese potencial se haya incorporado al proyecto de vida. Una porción importante de nuevos emprendedores arraigaron sus propósitos a partir del conocimiento de un sector de negocios, pues usualmente las empresas, con algunas excepciones, no son el escenario apropiado para los innovadores y menos si tienen una elevada motivación al logro. ¿La razón? Los emprendedores dentro de una institución existente y con alguna tradición suelen convertirse en elementos "incómodos", para el establecimiento, pues detrás del reconocimiento de sus competencias innovadoras subyacen elementos políticos y simbólicos para los dirigentes de la empresa.

Los empleados con perfil de emprendedor, al no encontrar espacio para su realización, más temprano que tarde deciden iniciar su propio negocio, apoyados en el conocimiento del sector (aspecto político-estratégico) y de la operación del negocio (aspecto técnico-operativo). Ahora bien, estas personas sobre todo suelen tener la respuesta a los interrogantes de qué cosas cambiar para que el negocio no innovador no desaparezca en un plazo de uno o más años, o qué modificar en los métodos de producción o de oferta de servicios para que los clientes mejoren su nivel de satisfacción y prefieran la empresa en su decisión de compra (aspectos de mercadeo estratégico).

NOTA:

Las formas de pensar y los valores compartidos por un grupo social influyen en la generación de sus propios emprendedores.

e. El contexto organizacional

El esquema organizacional más extendido es el modelo burocrático originado en las teorías planteadas por *Max Weber*. Este modelo, desarrollado para disciplinar y ordenar los esquemas de organización heredados del feudalismo, centró su acción en los principios de impersonalidad, especialización, sistema de normas, centralización, entre otros, políticas que obstaculizan el afianzamiento de la iniciativa emprendedora en una organización, fuente importante para la incubación de nuevos proyectos. A continuación se relacionan algunas características de este modelo:

- *Impersonalidad*. Las empresas, mediante las menciones a los cargos y no a las personas, intentan resolver los tratamientos privilegiados dentro de la organización, para que las relaciones entre empleados se centren en el diseño de los puestos de trabajo. Desafortunadamente, esta práctica se ha extendido a la relación con los clientes.

- *La pérdida de competitividad de algunas organizaciones*, es decir, la disminución en su capacidad de respuesta a los requerimientos de la clientela, se debe a la aplicación de esta práctica. En una organización burocrática no es tan relevante identificar y evaluar las necesidades, expectativas y deseos de la clientela, que son las fuentes para la generación de nuevos proyectos y donde los trabajadores pueden ejercer como emprendedores internos.

- *Especialización*. Las estructuras se desarrollan por campos de conocimientos afines y esto da lugar a departamentos, áreas o secciones, con la asignación de tareas específicas para cada empleado. En términos de rendimientos es posible que un área especializada tenga un mejor resultado operacional; sin embargo, su aplicación se ha convertido en un elemento cultural que consolida creencias y rituales organizacionales y hace que cada trabajador "sepa cada día de mucho menos". La falta de capacidad de respuesta de las empresas, la escasa innovación y el deterioro comercial son una consecuencia de esta aplicación.

  Desde otra perspectiva, un diseño organizacional por procesos estimula el pensamiento global que relaciona diferentes aspectos y sirve de fuente al mejoramiento de la competencia emprendedora.

- *Sistema de normas*. Las organizaciones son más normas que esencia. Weber planteó la normalización sólo para resolver el problema de la desorganización; sin embargo, la excesiva reglamentación en las empresas ha desestimulado la creatividad en la toma de decisiones. Los manuales de funciones y de operación cuando están formulados con visión interna para hacer más cómodo el trabajo del empleado, en vez de facilitar las transacciones con la clientela, inducen a decidir en contra de la racionalidad y la lógica. Esto se agrava, pues la práctica se convierte en cultura institucional.

Es aceptable que una sociedad sin normas pueda ser presa de la anarquía, pero en una organización exageradamente normalizada diluye la iniciativa emprendedora. Entonces, ¿cuál puede ser el punto razonable? En primer lugar, la razón de ser de una organización no son las normas, sino sus objetivos y finalidades; por lo tanto, las reglas deben ser el mecanismo que asegure el cumplimiento del propósito que dio origen a su creación. Detrás de la creación de una empresa existen unas necesidades por satisfacer, lo cual debe inspirar la construcción de las normas esenciales de actuación.

- *Centralización*. Como plan, puede resolver el problema de la indisciplina, pero origina una jerarquía que quiere decidirlo todo y no deja espacio de actuación a los demás, lo que limita la participación y la valoración del ser humano en la organización y, por ende, la posibilidad de innovar y crear, fundamentos de la iniciativa emprendedora. Lo razonable para una empresa es la combinación entre la centralización, para establecer criterios de actuación, y la descentralización, en el terreno de las decisiones.

NOTA:

Diseños organizacionales centralizados, impersonales y con rígidos sistemas de normas y de especialización cohíben el desarrollo de la iniciativa innovadora.

Al estar articulada la convivencia social, económica y política a una sociedad de organizaciones, el individuo influido desde temprana edad por esta cultura y, por consiguiente, para estructurar y gestionar los grupos sociales y/o empresariales a su cargo, tiende a diseñar con este modelo, y extiende y generaliza una forma de pensar que actúa como inhibidor de la actitud emprendedora.

f. El contexto familiar

Es el primer elemento facilitador o inhibidor del futuro emprendedor. El medio sociocultural de la familia del futuro emprendedor ejerce una influencia sobre él, no por factores materiales como nivel económico, tamaño de la familia, nivel de escolaridad de los padres, sino por elementos no tangibles como la escala de aspiraciones y de valores que existen en el interior del grupo.

VOCES PARA LA ACTITUD EMPRENDEDORA

- Describa tres decisiones para aprovechar las características del contexto a favor de la disposición de emprender.
- Identifique dos actividades para transformar en oportunidad de emprender la cultura laboral y el contexto organizacional.

Se ha señalado que dos terceras partes de los padres de los emprendedores fueron propietarios de negocios particulares, desde la pequeña unidad de trabajo familiar artesanal hasta grandes conglomerados de negocios.

Parece que el hecho de provenir de un núcleo familiar en el que pocos han sido asalariados y que siempre han tenido vinculación con los negocios ejerce en el niño las primeras motivaciones de la acción de emprender. Por identidad con sus mayores, el joven se introduce poco a poco en el mundo formal de la empresa. El sistema de valores transmitido por la familia constituye un elemento determinante de la tipología empresarial. De acuerdo con Piaget, la personalidad en desarrollo se sustenta en *"la adhesión a una escala de valores no abstractos sino relativos a una obra o a un programa de vida"*[3].

El proceso de identificación del niño con el padre o madre o quien haga las veces, la emulación y la asimilación de los valores de la familia, tales como crear, ser independiente, tener algo propio, sustentados en un clima propicio para la creatividad y en una protección afectiva, apoyan fuertemente el desarrollo de las características señaladas.

También existe una masa importante de emprendedores sin tradición de familia. ¿Qué los ha hecho surgir? No hay factores únicos, pero un ambiente donde ha habido más necesidades que recursos materiales aunado a un clima de afectividad, aprendizaje flexible y, sobre todo, sentido de vida ha permitido el florecimiento de aspectos motivadores que sustentaron esa generación de emprendedores.

Un gran emprendedor manifestó en una entrevista que, aparte de otros factores, lo que más pesó para emprender su propio negocio fue el ver a su madre luchar en diversidad de oficios para ofrecerles un futuro a sus 14 hermanos, sin que nunca hubiese habido un clima donde la desesperanza contagiara a su progenitora y dejase de ser la promotora del afecto familiar. Entonces, a partir de una reflexión profunda y llena de contenidos existenciales, cuando cumplió 15 años se propuso el trabajo independiente como opción, pues tenía pocas

3 PIAGET, Jean. *Psicología del niño*. Madrid: Morata, 1984.

posibilidades de acceder a un cargo burocrático dada su procedencia; al hacerlo evitaba inhibir sus sueños y, de paso, así procuraba que su descendencia no pasara por las dificultades que él vivió. Hoy en día es un empresario latinoamericano de gran alcance y de probados éxitos.

Para ejemplificar las transferencias de valores al futuro emprendedor, al preguntarle a este empresario de éxito cuál fue su primera percepción para fijar su actitud de trabajar por cuenta propia, contestó: *En mi casa encontrar trabajo consistía en preguntarse qué vamos a fabricar o a vender.*

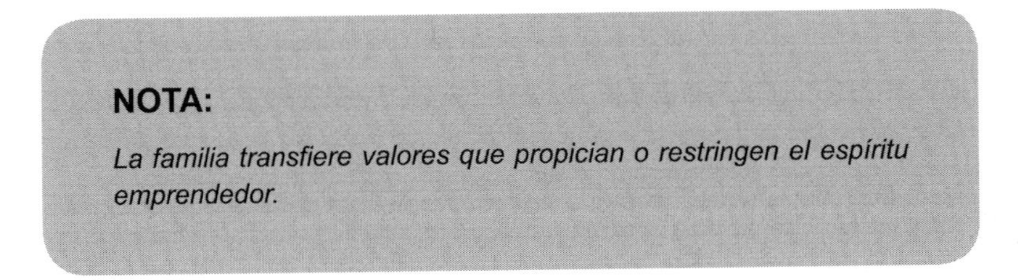

NOTA:

La familia transfiere valores que propician o restringen el espíritu emprendedor.

g. El contexto educacional

En los primeros estadios de la vida escolar, de los 3 a los 6 años de edad, el ser humano, de manera formal, realiza el primer aprendizaje sobre la creatividad y la iniciativa emprendedora.

Desde luego, por el grado de coherencia existente entre los modelos de enseñanza-aprendizaje usados en la formación escolar, tanto en la educación primaria como en la media, con las características que subyacen tras los perfiles de los emprendedores consolidados, se puede afirmar que el medio escolar puede convertirse en un soporte fundamental para la formación de nuevos emprendedores. Por tanto, mediante el modelo educativo, las escuelas incorporan o no los elementos didácticos que favorecen el aprendizaje activo y así desde la escuela fraguar una cultura emprendedora.

Mediante la planificación y ejecución de actividades, el estudiante puede ejercer iniciativas emprendedoras, como por ejemplo crear y dirigir el periódico escolar, organizar y dirigir la cafetería de su escuela, proponer nuevas soluciones para los contextos de aprendizaje establecidos, crear estructuras organizacionales para el ejercicio y gobierno escolar, diseñar y poner en ejecución eventos deportivo-culturales, organizar las pequeñas aventuras empresariales a partir de la observación de su entorno y su conocimiento. Así el joven realiza su primera incursión en el universo formal de los adultos emprendedores, centrado en un trabajo que le permite conceptualizar y materializar nuevas organizaciones para satisfacer necesidades y decidir sus propios indicadores de logro.

Entonces el ambiente educativo es fundamental, dado que mediante lo descrito, el niño y el joven afianzan dos papeles esenciales para el ejercicio de la vida adulta:

- La sumisión.
- La autonomía.

Estos dos factores puede ser ambivalentes: actitudes de sumisión, respecto al universo de los padres y maestros, y necesidad de afirmación y autonomía para alcanzar los éxitos en las actividades emprendedoras escolares.

Es un axioma, es muy difícil construir una sociedad emprendedora con individuos sumisos. Cuando la enseñanza escolar no propicia la fijación de los valores de libertad, independencia, dinamismo e imaginación, el alumno emprendedor parece rebelarse contra lo establecido. Se sabe que los emprendedores de éxito formados en escuelas rígidas fueron "malos alumnos". La ortodoxia educativa considera buen alumno a quien sigue estrictamente las reglas. No se trata de proponer la anarquía en el proceso de formación y señalar que para estimular el espíritu emprendedor sean necesarios la insubordinación y la falta de respeto a la autoridad en la escuela. Se trata de señalar criterios de convivencia, respeto por la diferencia y herramientas como la argumentación, la responsabilidad y la dialógica, como valores fundamentales para el ejercicio de la libertad.

En síntesis, la *autonomía* como concepto que sustenta el espíritu de empresa implica nuevas responsabilidades y tener consistencia con las consecuencias de los actos promovidos. Por ello, emprender sin la concurrencia de valores es algo socialmente inútil.

Si bien es cierto que en la formación escolar y en el medio familiar se asimila la noción de autonomía, también es aceptado que en diferentes escenarios se desarrollan capacidades y actitudes para resolver de modo efectivo y libre los problemas de la vida. Existe un problema cuando se siente insatisfacción o no conformidad entre una situación deseada y una situación real.

En conclusión, la formación para la autonomía se puede estimular en los diversos escenarios de interacción de las personas: la escuela, el colegio, la familia, la universidad, el trabajo, la comunidad, donde implícita y explícitamente hay aprendizajes.

NOTA:

El modelo educativo tiene gran incidencia en la formación de individuos autónomos o sumisos; en otras palabras, de personas emprendedoras o no.

HERRAMIENTAS EMPRENDEDORAS

A partir de los planteamientos de Edgar Morin, la dialógica, principio derivado de la integración de la dialéctica con la lógica, es muy útil para apoyar el proceso de emprender algo. El concepto indica que una nueva idea lleva implícita su propia contradicción: si es tan buena, ¿por qué no se desarrolló antes? En complemento, desde otra perspectiva, ¿por qué no podría funcionar? Por ejemplo, proponer siempre que el modo de acceder a un nuevo negocio es mediante la estrategia de precios bajos, ¿no podría asociarse con mala calidad de los productos? El cliente podría pensar, ¿si es tan bueno, por qué es tan barato?

Toda empresa tiene su propia lógica, es decir, la racionalidad que acompaña una oportunidad percibida. Las cosas no sólo funcionan por lo emocional, también tienen una dosis de lógica. Por ejemplo, ¿por qué ahora con las tendencias de comercio hacia grandes superficies o hipermercados no desaparece la tienda de barrio? La razón está en que los tenderos manejan, entre otras cosas, un mercadeo de conocimiento individualizado, lo que técnicamente se denomina hoy CRM, *Customer Relationship Management*, y venden sus productos a la medida del cliente, según el volumen, peso o tamaño que necesite; los precios que asignan a la mercancía no son muy distantes de los fijados por los grandes comerciantes y otorgan crédito en la modalidad tradicional a su clientela, usualmente los vecinos de su propio barrio. Ésa es la lógica de ese segmento.

El gráfico que aparece a continuación señala una ruta de crecimiento hacia la autonomía que puede ser aplicable en cualquier estadio del proceso de aprendizaje humano.

Este gráfico propone cuatro estadios de avance en la ruta de crecimiento:

- Aprendiz
- Aprendiz avanzado
- Competente
- Emprendedor afianzado

Si se tiene en cuenta que lo contrario a la autonomía es la *dependencia*, un aprendiz y un aprendiz avanzado son más dependientes que autónomos en términos relativos. En tanto que un competente y un emprendedor afianzado son más autónomos. En la medida en que se avanza en la ruta, mejoran el nivel de madurez y las competencias emprendedoras.

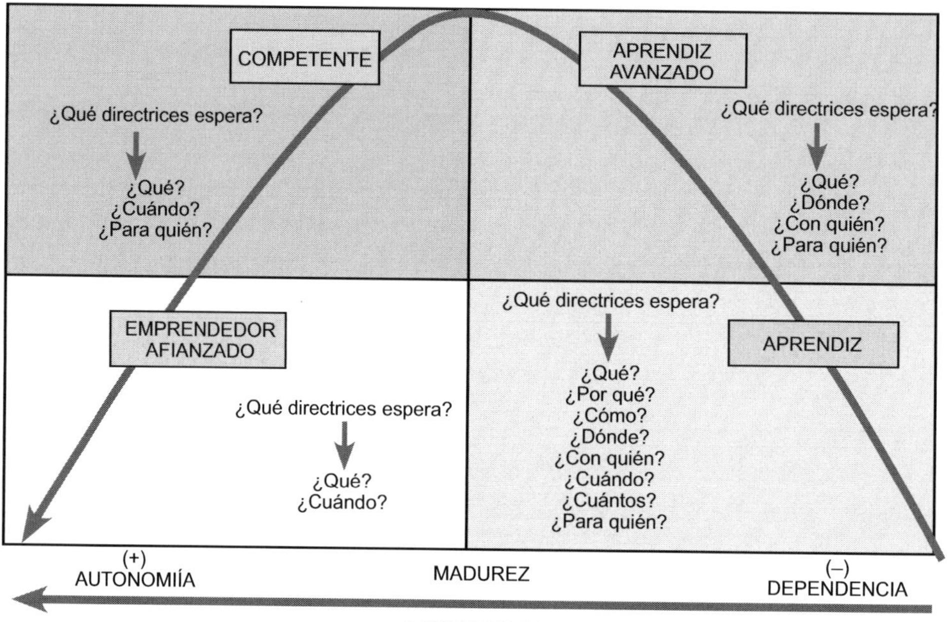

Gráfico 2.1. Ruta de crecimiento hacia la autonomía

Para saber en qué estadio de la ruta se está, hay que preguntarse qué directrices se espera de otros para poder ejecutar iniciativas.

Se tiene la actitud de aprendiz cuando se requieren indicaciones como qué hacer, por qué, cómo, dónde, con quiénes, cuándo, cuántas unidades de productos o servicios se precisan y para quién producir.

Al aprendiz avanzado, como máximo, debe señalársele qué hacer, dónde, con quiénes y para quién producir.

La persona competente sólo necesita indagar sobre por qué hacer, cuándo y para quiénes.

El emprendedor afianzado solamente precisa saber qué hacer y cuándo.

La misma lógica se aplica cuando se desea estimular en otros la iniciativa emprendedora, pues dependiendo de la cantidad de preguntas orientadoras que se le indiquen a un subordinado o a un colega se le sugiere una expectativa de comportamiento en uno u otro estadio de la ruta hacia la autonomía.

Como mecanismo de consolidación de la actitud emprendedora tiene igual validez la autoevaluación para el aprendizaje autónomo, proveniente de los mensajes recibidos de los contextos en los cuales interactúa cada individuo; las deducciones que de allí se obtengan deben traducirse en decisiones.

VOCES PARA LA ACTITUD EMPRENDEDORA

A partir de los planteamientos de Edgar Morin, la dialógica, principio derivado de la integración de la dialéctica con la lógica, es muy útil para apoyar el proceso de emprender algo. El concepto indica que una nueva idea lleva implícita su propia contradicción: si es ella tan buena, ¿por qué no se desarrolló antes? En complemento, desde otra perspectiva, ¿por qué no podría funcionar? Por ejemplo, proponer siempre que el modo de acceder a un nuevo negocio es mediante la estrategia de precios bajos, ¿no podría asociarse ello con mala calidad de los productos? El cliente podría pensar, ¿si es tan bueno, por qué es tan barato?

Toda empresa tiene su propia lógica, es decir, la racionalidad que acompaña una oportunidad percibida. Las cosas no sólo funcionan por lo emocional, también tienen una dosis de lógica. Por ejemplo, ¿por qué ahora con las tendencias de comercio hacia grandes superficies o hipermercados no desaparece la tienda de barrio? La razón está en que los tenderos manejan, entre otras cosas, un mercadeo de conocimiento individualizado, lo que técnicamente se denomina hoy CRM, *Customer Relationship Management*, y venden sus productos a la medida del cliente, según el volumen, peso o tamaño que necesite; los precios que asignan a la mercancía no son muy distantes de los fijados por los grandes comerciantes y otorgan crédito en la modalidad tradicional a su clientela, usualmente los vecinos de su propio barrio. Ésa es la lógica de ese segmento.

Capítulo 3

CAPACIDAD EMPRENDEDORA Y EMPRESARIADO

3.1 ROLES DEL EMPRESARIO

Cuando se examinan los roles que convergen en un empresario, se puede señalar que una porción de tiempo la destina a ejercer como emprendedor, otra como administrador, otra más como técnico de un arte u oficio, y a veces como político.

Al actuar como **emprendedor** visualiza oportunidades para nuevos proyectos, estimula ambientes para que su equipo desarrolle innovaciones en productos o servicios, crea y opera en coherencia con la expresión "*el presente de las organizaciones se explica por el pasado y como el futuro no existe, se construye a partir del presente*". En otras palabras, lo que una organización, empresa o persona es hoy, es consecuencia de lo que ha hecho o dejado de hacer en el pasado; por lo tanto, el futuro será la consecuencia de lo que haga o deje de hacer en el presente.

En el rol de **administrador**, como un director de orquesta, coordina, es decir, armoniza talentos humanos con recursos y capacidades de la empresa u organización para el logro de los objetivos, mediante el uso de instrumentos como la planificación, la dirección y el control.

En ciertos momentos de su ejercicio como empresario, como conocedor de un arte, oficio o proceso, debe sumergirse en algunos pormenores de la operación del negocio; entonces surge su rol de **técnico**.

En los negocios es necesario establecer relaciones y convenios con otros, por lo que un empresario debe proponer, argumentar, convencer y lograr acuerdos sostenibles por un período de tiempo, pactos que además sirvan de soporte y organización a las iniciativas de empresa. En concordancia, el emprendedor debe generar seguridad y confianza en los diferentes públicos que pueden llegar a tener intereses en el negocio. Ésa es la faceta **política**.

Si se pudiera hacer la disección de la personalidad de un empresario que se ha desarrollado integralmente y en la cual convergen los cuatro roles, el resultado sería que ella está compuesta así: un 50% emprendedor, un 30% administrador, un 10% político y un 10% técnico.

Cuando no se da esa convergencia de lo que se puede llamar el empresario ideal, es preciso compensar las carencias de alguno de los roles mediante la integración de equipos de trabajo que propicien el surgimiento de la personalidad emprendedora para comunicar visiones, crear la armonía en el grupo y alcanzar los objetivos propuestos.

Ésa suele ser una opción interesante para consolidar las pequeñas y medianas empresas que usualmente han surgido del conocimiento técnico de su gestor o creador, en quien la hipotética disección de la personalidad utilizada para explicar el comportamiento individual da como resultado la siguiente estructura: un 60% técnico, un 30% emprendedor, 10% administrador y 0% político.

Para dar una mirada a cómo las ocupaciones de las personas contribuyen a afianzar el espíritu emprendedor, el Gráfico 3.1 señala algunos rangos de comportamiento ocupacional, de los que se podrían esperar desempeños más adecuados para el ejercicio del espíritu de empresa.

En un extremo del esquema aparece el técnico operativo, quien tiene la menor tendencia emprendedora, y en el otro lado está el emprendedor inventor, con la mayor predisposición a la iniciativa creadora.

NOTA:

En la personalidad del empresario deben concurrir armónicamente un emprendedor, un administrador, un técnico y un político.

El inventor emprendedor ocupa la cúspide de la actividad empresarial, ya que es un ser especial, que dispone al tiempo de dos habilidades: inventar un nuevo producto o servicio y llevarlo exitosamente al mercado.

El funcionario, el profesional clásico y el gerente tradicional se catalogan dentro del rango no empresarial, porque pertenecen a la escala ejecutiva de la empresa, en la acción de aplicar políticas y procedimientos establecidos por las organizaciones. Generalmente provienen de la escuela burocrática descrita en los apartados anteriores, y aunque pueden ser excelentes funcionarios, su protagonismo no pasa más allá de la normatividad y el trámite necesario para la supervivencia de la empresa.

Los desempeños con tendencias no empresariales no son sinónimo de fracaso ocupacional, pues esos oficios son necesarios para cumplir con la tarea de mantenimiento organizacional.

En la tendencia no empresarial pueden figurar los prestamistas, quienes tienen una clara aversión por el riesgo y la aventura, antecedentes que los arraigan en su papel. Prefieren financiar proyectos de otros, con buenas garantías reales y a tasa fija.

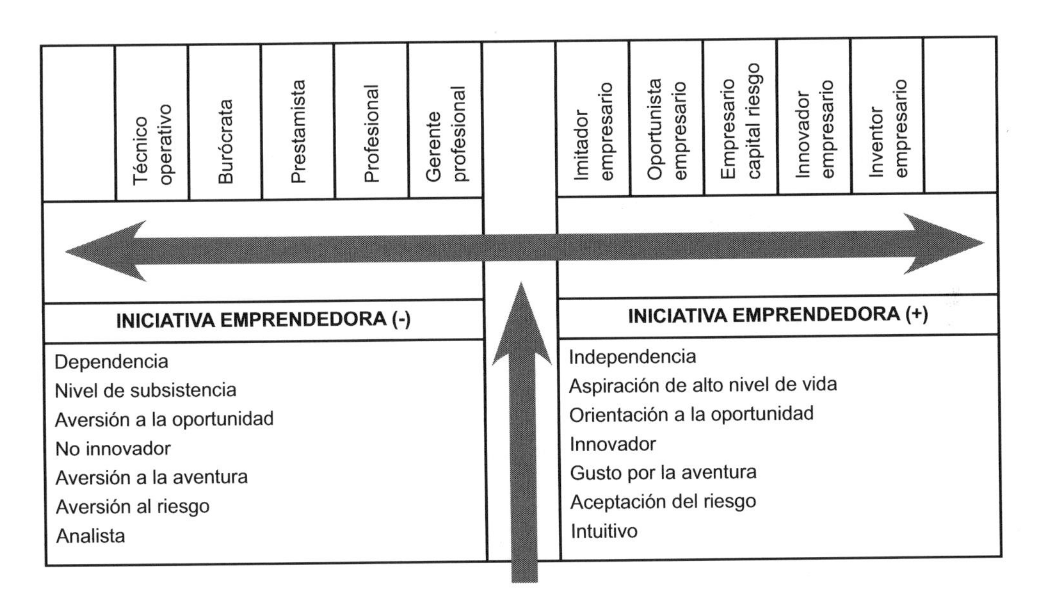

Gráfico 3.1. Rangos de comportamiento empresarial

En la escala de comportamiento empresarial se puede observar el emprendedor imitador, quien simplemente copia los productos desarrollados por otros, sin agregarle ningún componente innovador. Su estrategia es competir por precio.

El oportunista empresario tiene una gran tendencia a cubrir todas las formas de negocio, especialmente productos novedosos con obsolescencia rápida y con un rendimiento aceptable. Utiliza la estrategia de *descremar* el mercado.

Los emprendedores de capital riesgo y los inversionistas ángel son fuentes primarias para financiar opciones de negocios y no esperan una tasa de rendimiento fijo; le apuestan a una variable en armonía con el desempeño del negocio. Contribuyen especialmente a la puesta en marcha de nuevos negocios o en proyectos de fusiones o expansiones.

El emprendedor innovador y el inventor emprendedor tienen sólida tendencia hacia la actividad empresarial. Desarrollan proyectos de gran permanencia en el mundo de los negocios y tienden a crecer por medio de una alta segmentación estratégica.

VOCES PARA LA ACTITUD EMPRENDEDORA

- En su día a día, ¿cómo equilibra usted los cuatro roles de un empresario?
- Identifique tres aspectos de su actual ocupación que faciliten o inhiban su iniciativa empresarial. ¿Cómo procede en cada caso?

3.2 QUÉ DESENCADENA EL ESPÍRITU EMPRENDEDOR

Enrolarse en la actividad empresarial significa aventura. A quien le aburre la rutina y permanentemente imagina y diseña nuevas travesías empresariales, pero en principio prefiere que otra persona dé el primer paso, tiene una fuerte tendencia a la iniciativa emprendedora, pero requiere un *hecho desencadenante*.

Una de las principales razones para concentrarse en la actividad empresarial es obtener mayores retribuciones económicas. Si se busca mejorar el volumen, frecuencia y perspectiva en el tiempo de los ingresos monetarios como medio para lograr mayor nivel y calidad de vida, existe ahí un inductor de la decisión de emprender. Pero la búsqueda de la subsistencia no es suficiente motivador para el empuje empresarial; en este caso sólo se trabajaría para las necesidades básicas y ellas estarían satisfechas con una asignación salarial decorosa.

Alternativamente, cuando de forma automática se dice no a todo lo nuevo, la rutina no perturba, el esquema de prueba y error no se utiliza y se está totalmente satisfecho con el statu quo, la inclinación hacia el emprender es muy débil.

Al entrar en la actividad de crear se acepta el riesgo, porque significa dirigirse a lo desconocido, a la conquista y la aventura. Los no-emprendedores tienen regularmente aversión al riesgo. No piensan en aprovechar las oportunidades y prefieren no exponerse a las pérdidas, especialmente financieras. No quieren entrar al túnel hasta no tener claridad y ver el otro lado.

Las investigaciones indican que las personas seducidas por la cuestión de crear son más lógicas, pero también poseen una gran capacidad de respuesta rápida, como si estuvieran fundamentadas en análisis cuantitativos preelaborados. Tienen un fuerte instinto y pueden rápidamente tomar decisiones en condiciones de incertidumbre. En el otro extremo, la tendencia es depender de análisis cuantitativos, a veces fuera de la lógica empresarial.

Por supuesto, estas consideraciones no son absolutas y personas con conductas no emprendedoras, técnicos, operarios o prestamistas, toman decisiones en condiciones de vacilación. Ellos también deciden frente al riesgo, quieran o no.

NOTA:

Las iniciativas innovadoras derivadas de las ocupaciones de las personas pueden ser determinantes para tomar la decisión de crear una empresa.

En líneas generales, existen comportamientos específicos y permanentes que configuran conductas empresariales, pero ciertas acciones ejercidas por gerentes y profesionales pueden generar ocasionalmente aventuras empresariales. Por ejemplo, un técnico puede inventar una herramienta y desarrollar un negocio alrededor de ella; un banquero puede crear un nuevo producto financiero; un gerente puede idear productos y descubrir nuevos mercados; un médico podría desarrollar e introducir un software innovador para los diagnósticos clínicos.

Las iniciativas innovadoras derivadas de las ocupaciones de las personas son un elemento que puede ser determinante para tomar la decisión de crear una empresa, aun en los casos de débiles espíritus emprendedores. La determinación de establecerse por cuenta propia constituye una gran decisión, en cuanto induce la transformación de un proyecto de vida; normalmente esta resolución se asocia a un hecho desencadenante que permite liberarse de los esquemas de dependencia contrarios a la actitud emprendedora.

Para dar el paso de emprender un proyecto, el impulsor fundamental es experimentar el impacto que genera alguno de los hechos desencadenantes relacionados en el Gráfico 3.2:

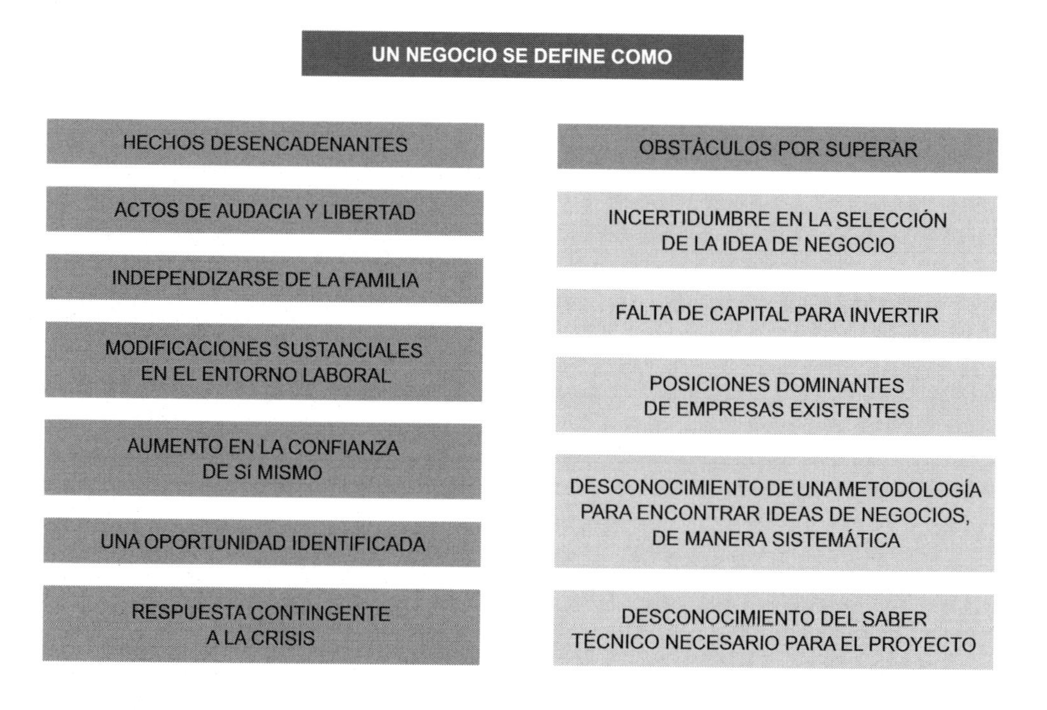

Gráfico 3.2. Definición de la idea de negocio.

Con la decisión de emprender afloran algunos obstáculos que hay que superar, tales como: pertinencia en la selección de la idea de negocio, falta de capital, entornos complejos, desconocimiento del saber técnico que implica el proyecto, entre otros.

- El primer inconveniente para un emprendedor en proceso es la elección de una actividad. Esta acción normalmente implica toma de decisiones al azar que pueden resultar poco pertinentes. En la segunda unidad de este libro se describen algunas metodologías y criterios para encontrar oportunidades de negocios de una manera sistemática y lógica, lo que permite minimizar la incertidumbre que involucra la fundación de una empresa.

- Muchos planes de negocio cuidadosamente estudiados se frustran por falta de dinero. Algunos emprendedores de éxito afirman que *"hace falta coraje y no dinero"*; es decir, el capital de arranque es importante como medio, no como fin. Para evitar que este obstáculo inhiba la puesta en marcha de un proyecto, el emprendedor debe considerar la opción de redes de inversionistas. Una buena idea de negocio puede aglutinar socios inversionistas en la modalidad de capital de riesgo, que incorporen su dinero a la empresa naciente a cambio de un rendimiento razonable. Es más conveniente el financiamiento por la vía de la capitalización, pues así su amortización se asocia a la evolución del negocio y no se presenta como un coste fijo, como cuando se comienza con endeudamiento y financiación por sistemas tradicionales.

NOTA:

La creación de una empresa es la expresión de un sentido social relacionada con la necesidad de independencia y de poder de su creador.

Además, es muy difícil financiar un proyecto al cien por cien con los recursos de terceros porque, en términos prácticos, los prestamistas no otorgan créditos en estas condiciones. Siempre exigen una contrapartida de recursos propios.

- Un aporte importante es la evaluación del entorno, especialmente apoyada en herramientas como la cadena del valor y el análisis estructural de un sector, lo que permite identificar el grado de consistencia y vulnerabilidad del proyecto para poder definir las líneas estratégicas que faciliten el alcance de los objetivos de crecimiento y competitividad.

- Para afianzar un nuevo proyecto es una condición deseable dominar los conocimientos técnicos que requiere el negocio, para lo cual, según Hugo Kantis, *"Las principales escuelas de emprendedores son las empresas donde ellos trabajaron antes, dado que en ellas se adquieren la vocación y la mayoría de las competencias necesarias para emprender"*. Por supuesto, mediante proyectos multidisciplinarios, se puede fortalecer el conocimiento de un negocio desde el punto de vista técnico y estratégico.

El acto de creación de una empresa es la expresión de un sentido social relacionado con la necesidad de independencia y de poder, integrada a una sensibilidad profunda por la interacción humana que se expresa con el deseo de cooperación y de asociación.

El creador de una empresa se destaca y se impone rápidamente sobre el grupo, porque sus características lo convierten en un auténtico líder con una fuerza y una convicción capaces de influir en consumidores y colaboradores. Poder vivir en la incertidumbre y adaptarse a los continuos cambios del entorno hace interesante su aventura, y posibilita desarrollar habilidades estratégicas para responder a las continuas amenazas y oportunidades del medio. Esta permanente actividad lo libera de la rutina y lo hace más creativo, motivaciones adicionales para permanecer en el mundo de los negocios.

VOCES PARA LA ACTITUD EMPRENDEDORA

- ¿Cuál fue o cree que será el hecho que desencadenó su actitud emprendedora?
- ¿Cómo cree que va a superar los obstáculos posibles para iniciar su proyecto emprendedor?

HERRAMIENTAS EMPRENDEDORAS

CÓMO EVALUAR Y POTENCIAR LAS CAPACIDADES EMPRENDEDORAS

Buscar independencia, realizar proyectos sin tener que pedir permiso, tener la certeza de los beneficios de la puesta en marcha de un plan sin necesidad de convencer a alguien para que lo ejecute, ser el jefe y no estar sujeto al control de otras personas... Cuando se tiene la iniciativa de realizar cosas por cuenta propia y se goza de una fuerte inclinación e intuición para tomar decisiones, no cabe duda de que el espíritu emprendedor está latente en esa persona.

Por el contrario, si la influencia y el control de los demás no incomodan, si probablemente se busca ser parte de una empresa existente para satisfacer las necesidades de poder yde ser miembro de un grupo u organización y si, por lo tanto, el simbolismo asociado al ejercicio de cargos gerenciales es atrayente, es posible que el espíritu empresarial esté diluido en otros rasgos de la personalidad del individuo.

A continuación aparecen 26 opciones con las cuales es posible evaluar la potencialidad de un emprendedor.

Si se utiliza este test como autoevaluación, es importante ser totalmente objetivo y se debe escoger una sola respuesta; es decir, se debe señalar lo que se piensa, no lo que se debería pensar.

1. Respecto al futuro laboral y económico se tiene la certeza de que:
   a. Es mejor un contrato laboral que no sufra ningún cambio futuro y ofrezca la estabilidad suficiente para lograr las metas personales y profesionales.
   b. Es mejor esperar a tener evidencias de que habrá cambios en las condiciones laborales para prepararse como emprendedor y así asegurar el futuro profesional o personal.
   c. Es mejor prepararse para utilizar la iniciativa emprendedora y dar inicio a una vida independiente, a pesar de las ventajas laborales que se puedan tener.
2. En cuanto a la posibilidad de emprender un negocio propio, se tiene el convencimiento de que:
   a. Todas las insatisfacciones o quejas que se perciben en la cotidianidad y que son expresadas por la clientela son oportunidades para iniciar un nuevo negocio, siempre y cuando se formule una propuesta de valor diferente.
   b. Es necesario que alguien con experiencia empresarial sugiera o invite a participar en un nuevo negocio.
   c. Para pensar en una oportunidad de negocio primero se debe consultar con cuánto dinero se cuenta.
3. Con referencia a las siguientes situaciones, la más cercana a la realidad es:
   a. En lugar donde se vive es muy difícil innovar porque casi todo está creado.
   b. Todo producto o servicio contiene en sí mismo una oportunidad de mejora.
   c. La innovación sólo se puede desarrollar en empresas que cuenten con suficientes recursos para investigación.
4. Durante la época escolar, es más satisfactorio participar en actividades:
   a. Predeterminadas y bien estructuradas, cuyo éxito esté demostrado.
   b. Sociales y culturales, que favorezcan la imagen frente al grupo.

   c. Poco estructuradas, que requirieran la participación y el liderazgo del estudiante para mejorarlas o desarrollarlas.

5. Cuando se invita a participar en algún proyecto o idea preliminar de negocio la propuesta debe:
   a. Despertar curiosidad intelectual y estimular la intuición.
   b. Estar sustentada por múltiples y elaborados cuadros de análisis.
   c. Estar relacionada con temas debidamente probados por expertos en todas las materias objeto del proyecto.

6. Con respecto al futuro, el individuo debe estar seguro de que:
   a. Uno no es lo que quiere, si no lo que puede ser.
   b. Si el ser humano pierde la capacidad de soñar, pierde la capacidad de hacer.
   c. Es mejor no soñar para no sufrir. Hay que vivir el presente.

7. El éxito es:
   a. Tener poder y dinero para adquirir todo lo que se desea.
   b. Ser aceptado socialmente y tener múltiples amigos.
   c. Trascender y sentir que se realizó algo importante en favor de la humanidad.

8. Si un posible cliente señala algunas observaciones para comprar un producto o servicio, esas objeciones son:
   a. Oportunidades para mejorar el producto o servicio.
   b. Decepciones porque no se logró convencer al cliente de las bondades del producto.
   c. Señales de rechazo hacia la empresa.

9. Respecto al uso del tiempo personal en el trabajo:
   a. Vender el tiempo productivo a otros es vender parte de la vida.
   b. Debe ser utilizado para cumplir con las tareas que se asignan.
   c. Frente a la incertidumbre, el ser humano no controla el tiempo.

10. Una persona es competente en el desarrollo de su profesión u oficio sólo si:
    a. Obtuvo altos promedios en sus calificaciones académicas.
    b. Se le nomina para ocupar posiciones de reconocimiento en la sociedad.
    c. Tiene conceptos que relacionan múltiples aspectos que inciden en su ejercicio e identifica, valora, argumenta y propone con precisión alternativas y decisiones muy enfocadas.

11. La motivación fundamentalmente depende de:
    a. Cada uno.
    b. La valoración que se recibe de los jefes.
    c. Los incentivos que se pueden recibir de los demás.

12. Una persona digna de admiración es quien:
    a. Defiende su posición e impone sus criterios.
    b. Declina sus proyectos para estar en armonía con el grupo.
    c. Es capaz de regular sus emociones para fomentar el crecimiento propio y el de los demás.

13. Respecto a la iniciativa emprendedora, lo cierto es que:
    a. Los emprendedores nacen y no se hacen.
    b. Los emprendedores se pueden formar.
    c. Para ser emprendedor se necesita suerte.

14. En la etapa escolar, los mejores estudiantes son:
    a. Los que siguen perfectamente las instrucciones que se les dan.
    b. Aquellos que obtienen las mejores calificaciones.
    c. Aquellos que expresan su pensamiento con argumentación, a veces en contradicción con las instrucciones del profesor.

15. Buscar trabajo esencialmente consiste en:
    a. Preguntarse qué se puede fabricar, hacer o comercializar.
    b. Presentar hojas de vida para conseguir un puesto.
    c. Inscribirse en una bolsa de empleo.

16. En la etapa escolar, el mejor profesor es:
    a. Quien sólo usa la cátedra magistral y a partir de su gran erudición imparte sus conocimientos.
    b. Asigna trabajos para análisis y discusión y estimula la participación de los estudiantes para integrar conceptos construidos en acción colectiva.
    c. Evalúa sólo con base en lo que se comenta en clase.

17. Si se requiere elegir los mandos directivos de un grupo, sólo hay que presentarse como candidato si:
    a. Ofrecen honorarios atractivos por asistir a las reuniones que se convoquen.
    b. Generan prestigio por la figuración y posibilidad de influir en otros.
    c. Hay cosas por hacer y se puede contribuir. Lo demás se acuerda después.

18. Un individuo debe ser emprendedor principalmente:
    a. Por las recompensas económicas y el reconocimiento social.
    b. Por el sentido del servicio, la trascendencia y la compensación material.
    c. Porque no hay empleos.

19. Sobre el futuro hay que considerar que:
    a. Lo que se es hoy es el resultado de lo que se ha hecho o dejado de hacer; por tanto, el mañana será resultado de lo que se haga o deje de hacer ahora.
    b. Es una proyección del pasado y está condicionado por factores estructurales.
    c. No hay que preocuparse por el futuro, pues no existe; sólo hay que centrarse en el presente.

20. Si fuera necesario definir la suerte, el concepto adecuado sería:
    a. Un atributo con el cual nacen algunos seres humanos.
    b. La materialización del destino de cada persona.
    c. Estar en el lugar adecuado, en el momento oportuno, con las personas clave para una intervención y poseer las capacidades necesarias para la situación.
21. Una persona emprendedora debe principalmente tener:
    a. Visión global, competencias de relación, conocimientos y destrezas de diversas disciplinas.
    b. Especialización en conocimientos y destrezas muy precisas.
    c. Conocimientos exclusivos de un área temática.
22. Al transitar por una calle, un emprendedor actúa de la siguiente forma:
    a. Se sumerge en el pensamiento propio sin interesarle lo que sucede a su alrededor.
    b. Observa los sucesos y las actividades que coinciden con sus intereses.
    c. Observa, evalúa y valora lo que falta en el entorno y lo que pueden ser alternativas de solución para mejorar la convivencia o el bienestar de la gente.
23. Si un emprendedor se encuentra en una esquina de la ciudad, percibe y escucha:
    a. Sólo los sonidos más fuertes derivados del movimiento de vehículos, comercios, industrias y demás actividades humanas.
    b. Los sonidos que asocia con algo de su interés.
    c. La mayor parte de sonidos existentes, incluidos los más tenues o suaves, por ejemplo, el canto de un ave posada sobre un árbol de la avenida.
24. Cuando está en una reunión social, el emprendedor procura:
    a. Integrarse en la conversación y proponer temas para que el grupo participe en las deliberaciones.

b. Buscar un sitio desde donde se pueda observar el entorno.

c. Integrarse en un grupo y dedicarse a escuchar.

25. Si se hiciera una pintura de un emprendedor que tiene en sus manos dos instrumentos, esas herramientas serían:

a. Una calculadora y una batuta.

b. Un manual de normas y un cincel.

c. Un telescopio y un martillo.

26. Para realizar los sueños y crear el futuro hay que cambiar:

a. El entorno.

b. Las personas que ejercen la autoridad, como jefes, padres, etc.

c. Lo necesario de sí mismo.

RESPUESTAS

Las respuestas a las diferentes preguntas del cuestionario se deben contrastar con la tabla que aparece a continuación. Las columnas marcadas con P se refieren a las preguntas y las señaladas con R, a las respuestas. La tabla se lee horizontalmente y de arriba hacia abajo. Por cada respuesta acertada que se registra se suma un punto.

P	R	P	R	P	R	P	R
1	C	2	A	3	B	4	C
5	A	6	B	7	C	8	A
9	A	10	C	11	A	12	C
13	B	14	C	15	A	16	B
17	C	18	B	19	A	20	C
21	A	22	C	23	C	24	A
25	C	26	C				

Las características que corresponde a cada rango son:

1. Entre 20 y 26 puntos. Se tiene un alto espíritu emprendedor. Si ya se es emprendedor, se ratifica la decisión. Si aún no se es, no hay que esperar

más; es bueno concentrarse en la identificación de oportunidades, en la elaboración del plan de negocios y en la puesta en marcha del proyecto.

2. Entre 15 y 19 puntos. Perfil emprendedor medio. Hay que recordar que el emprendedor se hace si se cultiva y se cosecha. Es procedente identificar oportunidades y estructurar un plan de negocios.

3. Menos de 15 puntos. Perfil emprendedor moderado. Si el presente se explica por el pasado (decisiones tomadas o no tomadas), el futuro se explica por el presente (decisiones que se van a tomar). Es recomendable la elaboración de un plan de metas a tres años en lo profesional, lo personal y lo educativo.

3.3 GUÍA DIDÁCTICA PARA EMPRENDER

3.3.1 CASO Nº 1. Y ahora, ¿qué hago? El caso del emprendedor desempleado

En 1982, Pepe Molero se desempeñaba como portero de la fábrica más importante del país, orientada hacia el mercado interno. Por lo rutinario del oficio, Pepe nunca pensó en la necesidad de aprender destrezas adicionales; escasamente sabía escribir su nombre, ilegible, como firma.

En 1983, la fábrica fue vendida a un grupo multinacional y la nueva administración decidió generar algunos cambios para integrarla al mercado mundial.

William Scott, el nuevo presidente, citó a su oficina a Pepe y le manifestó lo siguiente: "Como usted sabe, la fábrica ha sufrido un cambio radical en su orientación. Entre las modificaciones determinadas, se ha decidido rediseñar el cargo de portero, que en adelante se denominará orientador de servicio; quien lo desempeñe servirá como instructor de los requerimientos que los clientes hagan telefónicamente sobre servicios de mantenimiento y postventa de los productos de la empresa, cuyos catálogos envía la casa matriz desde Chicago. El nuevo cargo será parte de un grupo primario de la división de manufactura y su responsable presentará informes semanales".

Al oír aquello, Pepe se preocupó y le manifestó al presidente que él no tenía destrezas para leer en español, menos en un segundo idioma. Tampoco había tenido experiencia en el manejo de ordenadores, ni en procesos de atención y de servicio; sí tenía toda la disposición para aprender, por lo que le agradecía que lo tuviera en cuenta en la selección de personal.

El jefe replicó: "La implantación de esta estrategia no puede esperar; siento mucho pero debe acercarse a la oficina de personal para resolver todo lo pendiente en cuanto a la finalización de su contrato de trabajo. Como un acto de gratitud por sus servicios, voy a autorizar una bonificación adicional a la indemnización; le deseo mucha suerte".

Pepe sintió que el mundo se le acababa, porque nunca pensó encontrarse en esta situación. ¿Qué hacer? Mientras caminaba hacia la oficina de personal, recordó que cuando se rompía un mueble o algún grifo goteaba, él lo arreglaba porque tenía todo el tiempo del mundo y, además, siempre le ha gustado colaborar. Pensó que esta destreza podría ser una ocupación transitoria mientras conseguía un nuevo empleo. Entonces decidió que con parte del dinero del finiquito del contrato compraría una caja de herramientas completa para emprender su nuevo oficio.

Días más tarde, regresaba a su casa de la ferretería con una hermosa y completa caja de herramientas cuando un vecino le comentó el problema que tenía con su lavaplatos; Pepe se mostró dispuesto a arreglarlo y efectivamente así ocurrió.

Para 1985, Pepe era reconocido en su barrio y en las comunidades colindantes como un responsable operario para resolver aquellas urgencias que, aunque pequeñas, son molestas en todo hogar cuando suceden. La avería de la plancha, la rotura de un tubo, daños en instalaciones eléctricas, mantenimientos a electrodomésticos y calderas, etc.

Con el tiempo, en toda la ciudad se conoció su labor por la seriedad, responsabilidad y cumplimiento; además había establecido un servicio de atención 24 horas. Ante esta circunstancia, Pepe pensó que era mejor integrar un equipo de trabajo, por lo cual vinculó a dos familiares cercanos que tenían algunas competencias para hacer reparaciones menores. La difusión de su buena imagen produjo un hecho fundamental para su vida: empezó a recibir dinero por anticipado con el fin de asegurar una atención posterior de reparaciones requeridas por los hogares de la comunidad.

En 1994, es decir, 10 años después de iniciar su actividad independiente, este hombre honesto transformó sus habilidades individuales en un corporativo denominado ASISNET, que funcionaba como una compañía nacional que vendía por anticipado el servicio de asistencia domiciliaria; se ofrecían unos paquetes de servicios de distintos precios con atención 24 horas. Por esos días, ASISNET ya contaba con una red de información y telecomunicaciones que le permitía en no más de 20 minutos desplazar operarios para atender las urgencias. Para quienes no adquirían los paquetes preventivos, Pepe proyectó un programa de asistencia por actividad realizada, diseñado con los mismos estándares de calidad acostumbrados.

VOCES PARA LA ACTITUD EMPRENDEDORA

- Describa cómo las motivaciones, el carácter y la inteligencia emocional ayudaron a Pepe Molero en su afianzamiento como emprendedor.
- En su caso particular, ¿le puede ocurrir una situación similar?
- ¿Qué papel juega su equipo de trabajo en la decisión de crear y expandir su proyecto de empresa?
- ¿Quiénes deben ser parte de su equipo de trabajo y por qué los elige?
- ¿Cómo manejaría una crisis concreta en su proyecto de vida?

Hoy día ASISNET está presente en todas las capitales de provincia del país y tiene vinculados por la modalidad de cuentas en participación a más de ocho mil asociados, entre fontaneros, electricistas, técnicos en mantenimiento electrónico, carpinteros, albañiles y pintores y personal de oficios varios.

En el año 2002, Pepe Molero decidió construir y donar una escuela de artes y oficios para formar a nuevos operarios y perfeccionar a los actuales, a la cual le dio la figura jurídica de fundación, manejada por la comunidad y financiada por ASISNET. En el acto de inauguración de la escuela, el Alcalde simbólicamente le entregó las llaves de la ciudad y le otorgó una condecoración como Ciudadano Ilustre de la localidad, lo abrazó y le dijo: “Con gran orgullo y gratitud le pedimos que nos conceda el honor de escribir de su puño y letra en el libro de actas de la nueva escuela unas palabras que reflejen su pensamiento como emprendedor”. “El honor sería para mí —dijo Pepe—, creo que nada me gustaría más que poder escribir algo de mi pensamiento, pero es que yo no sé leer ni escribir. Soy analfabeto”. “¿Usted? —dijo el alcalde, que no podía a creerlo—. ¿Usted construyó un imperio empresarial sin saber leer ni escribir? Estoy asombrado. Me pregunto qué hubiera sido de usted si hubiera sabido leer y escribir…”. “Yo sé lo puedo contestar —respondió Pepe—: si yo hubiera sabido leer y escribir sería el portero de una empresa multinacional”.

3.3.2 CASO Nº 2. El permanente oficio de emprender y la búsqueda del éxito

Pío Gordillo, comerciante desde hace 40 años, es el propietario de una cadena de tiendas compuesta por 10 supermercados, ubicados en los barrios más populares de clase socioeconómica media de una ciudad de dos millones de habitantes.

El señor Gordillo se inició en la actividad comercial vendiendo víveres y alimentos, sin procesar, en los mercados de las seis ciudades vecinas a su sitio de residencia, que celebraban una feria o mercado semanal. En aquella época, 1960, estas poblaciones tenían una media de diez mil habitantes cada una, y geográficamente distaban unos 60 kilómetros de la capital del país.

Cuando comenzó a trabajar, el desarrollo vial del país era muy incipiente y, por lo tanto, el transporte era un factor crítico para el éxito en el suministro de víveres. Por ello, adquirió un camión de cinco toneladas de capacidad, con el cual el día anterior al mercado surtía las tiendas más importantes de esas localidades.

El día de la feria, además, instalaba su camión en la plaza como un mercado móvil, vendía al por menor y servía de intermediario, pues compraba los alimentos procesados en la zona y las cosechas que los campesinos, las cuales, a su turno, vendía a empresas procesadoras de su ciudad de residencia. Se consideraba que don Pío era el mayor comprador de maíz, fríjol y soja de la región.

Durante veinticinco años, de lunes a viernes, el comerciante hizo su correría por estos mercados, y sábado y domingo atendía personalmente su gran tienda y bodega mayorista en la ciudad. Todo este esquema comercial le permitió acumular muchas experiencias y un gran conocimiento del negocio.

Hace diez años ocurrieron algunos hechos que se relacionan a continuación:

- El mejoramiento vial y de telecomunicaciones hizo que los tenderos de los pueblos buscaran ganarse el margen de intermediación, se desplazaran ellos mismos a la ciudad y se constituyeran en compradores directos.

- Los productores de alimentos procesados que distribuía don Pío organizaron su propia red y optaron por un sistema de comercio de puerta a puerta.

Este nuevo entorno estimuló a don Pío a abandonar la actividad mayorista y a especializarse en la venta al por menor Cuando tomó esa decisión, su cuenta de resultados señalaba que el 60% de las ventas correspondían a la actividad de intermediación que debía dejar, y el 40%, a las ventas al por menor de su tienda principal de la ciudad.

Progresivamente, don Pío estableció sucursales de su negocio en los barrios distantes del mercado central y personalmente las visitaba cada día. Hoy sus ventas suman, al mes, 10 millones de dólares. Los conocedores de este sector estiman que los comerciantes detallistas de supermercados tienen un margen neto entre el 1% y 10%, dependiendo de la rotación de los productos. Al hacer la mezcla de las diferentes referencias que vende, don Pío puede establecer que su promedio de utilidades que es del 4% neto mensual.

La familia Gordillo, por su parte, reflexionó sobre la posibilidad de tener una clientela permanente en los supermercados y desarrollar marcas propias. Josefa, la señora, y Juana, la hija mayor, aprendieron a fabricar artesanalmente salsa de tomate, mayonesa, mermeladas y zumos, e introdujeron estos productos en las tiendas. Hoy ésa es una industria integrada al negocio de las tiendas y todo lo que se produce se vende en los diez establecimientos de la familia con el distintivo propio.

Por su actividad empresarial, don Pío es un reconocido comerciante y el año anterior fue designado Presidente del gremio que aglutina a los empresarios de la ciudad; además fue galardonado con una de las distinciones que se imparten a quienes se han destacado en la actividad industrial y comercial. Después del acto de entrega del premio, el empresario concedió una entrevista en la que le preguntaron: "Don Pío, ¿de dónde viene su espíritu de

VOCES PARA LA ACTITUD EMPRENDEDORA

- Reflexione sobre tres aprendizajes aplicables que surjan de este caso y que contribuyan a su decisión de emprender.
- ¿Cómo cree usted que deberán los Gordillo enfrentar el futuro del negocio?
- ¿Cómo manejaría usted la sucesión gerencial del negocio?
- Identifique dos aprendizajes que se desprendan de las actuaciones de Max y Tomás que sean útiles para su proyecto de vida.
- En el caso expuesto, ¿quiénes y cómo utilizaron el concepto del conocimiento imperfecto, y qué resultados han obtenido?
- ¿Qué mensaje le dejan los planteamientos de Max y Tomás?
- ¿Quiénes y cómo desarrollan los papeles de emprendedor, administrador, técnico y político en las tiendas de los Gordillo?
- Identifique las tres fuerzas internas y las externas más relevantes que facilitaron a la familia Gordillo la decisión de trabajar por cuenta propia. En su caso, ¿cuáles pueden ser esas fuerzas?

empresa?" Él respondió: "Mi padre fue comerciante de café y otros víveres; creo que fue uno de los pioneros en el transporte organizado en la región, cuando no existían los coches. Desarrolló una empresa de transporte con caballos y yeguas, y su negocio consistía en la compraventa de víveres y transporte de mercancías para diferentes clientes, utilizando los caminos para caballos que existían hacia 1930 en el país. Fui el menor de tres hermanos y desde mi más corta infancia observé que mis padres, tíos y primos conversaban sobre la realización de diversos negocios. Cada uno era independiente, todos ellos tenían sus problemas y siempre hablaban de hacer esto o aquello para salir adelante; pero no recuerdo ninguna persona de mi familia que alguna vez haya sido asalariada. Encontrar un trabajo consistía en preguntarse qué había para comprar o vender".

Max, el segundo de los hijos de don Pío, se graduó como economista de la más prestigiosa escuela de la capital del país y se destacó por ser una persona analítica y con gran capacidad de expresión oral y escrita, por lo que fue invitado a participar en un programa de formación docente. Desde el tercer año de carrera, fue auxiliar docente del más connotado profesor de finanzas que hay en la facultad, el economista Goyo Van Horte. Hace dos años regresó a su ciudad, porque le ofrecieron el cargo de analista financiero del Banco Monetario, del cual es asesor el doctor Van Horte.

Tomás, el menor, cursa último semestre de Administración en la universidad local y su trabajo de grado consiste en un programa para expandir y modernizar la administración de las tiendas de su padre, con la incorporación del concepto de negocios en red. Desde la etapa escolar, Tomás invirtió las vacaciones y el tiempo libre en las tiendas y hoy es quien apoya y supervisa la implantación de los cambios en ellas.

Max se ha convertido en un banquero de inversión reconocido en la ciudad y el profesor Van Horte le solicitó presentar un candidato para la gerencia de una compañía de financiación comercial que abrirá operaciones en la ciudad. Max preguntó si habría algún impedimento en proponer a su hermano Tomás, próximo a culminar sus estudios profesionales y, como no lo hubo, le comunicó a Tomás la oferta. El muchacho recibió con sorpresa la nominación, pues su hermano no le consultó sobre sus proyectos personales, y envió una nota de agradecimiento al profesor Van Horte en la que le manifestó que no podía aceptar porque su deseo era continuar con la obra iniciada por don Pío.

Al enterarse de la respuesta dada por su hermano, Max lo recriminó y le dijo: "Eres un individuo sin aspiraciones, igual que Juana y que nuestro padre...".

UNIDAD 2

¿QUÉ EMPRESA CREAR?

OBJETIVOS

1. Dotar al futuro emprendedor de herramientas para identificar las oportunidades de negocio.
2. Proporcionar metodologías para elegir una adecuada idea de negocio.
3. Señalar los aspectos del mercado que se deben considerar a la hora de crear una empresa.
4. Desarrollar técnicas para encontrar oportunidades no explotadas de negocios.
5. Describir diversas formas para iniciar un negocio.

INTRODUCCIÓN

La segunda unidad de este libro se dedica a responder el interrogante de qué empresa crear o qué proyecto emprender; por consiguiente, tiene relación directa con la identificación de oportunidades de negocio.

Se consideran, entre otros, los factores que se deben tener en cuenta en la selección de ideas y el reto que tiene el emprendedor frente a la reducción de costos económicos, psicológicos y sociales; además, se efectúa una reflexión en torno a la cadena de valor, con el fin de garantizar el éxito del proyecto.

Se estudian también los aspectos que tienen incidencia directa sobre la definición de la idea que se va a emprender, como, por ejemplo, las condiciones que se requieren en la identificación de oportunidades viables de negocio.

De la misma forma, se desarrolla el tema de la innovación, elemento del que generalmente parte el emprendedor, y se presentan alternativas para ser exitoso al adquirir un negocio que se encuentra en marcha. Con el fin de mostrar una opción diferente a la de producir directamente, se expone también el tema del *outsourcing* o subcontratación.

En general, esta parte del libro pretende sensibilizar al lector respecto a los métodos que posibilitan la identificación de oportunidades de negocio.

NOTA:

En primer término, el emprendedor identifica las oportunidades de negocio.

Capítulo 4

MÉTODOS PARA IDENTIFICAR OPORTUNIDADES

Una de las preguntas más frecuentes que hacen las personas con algún interés en ser empresarios es qué negocio hay para crear. La experiencia indica que ése es uno de los escollos en la etapa de iniciación.

Casi todas las personas tienen ideas de negocios, pero de ahí a que se conviertan en verdaderas oportunidades hay una gran distancia. La razón tiene que ver con que esas ideas son deseos cuya viabilidad, rentabilidad y sostenibilidad no han sido evaluadas.

Identificar oportunidades requiere una etapa exploratoria. La importancia de este proceso de análisis consiste en que una coyuntura de negocio debe corresponder a una situación contenida en la necesidad o necesidades de la clientela, y a un mercado expansible, que por su estructura competitiva sea asequible y económicamente llevadero.

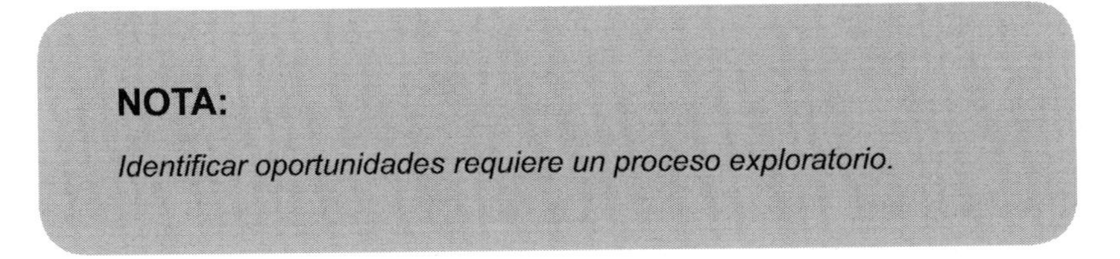

NOTA:

Identificar oportunidades requiere un proceso exploratorio.

4.1 ¿POR QUÉ ESA IDEA?

Para que una idea se convierta en una oportunidad de negocio, debe cumplir con una serie de condiciones exploratorias que se sintetizan a continuación:

4.1.1 Situaciones que impulsan la oportunidad

Cuando se toma la decisión de emprender, pasan por la mente del individuo distintas alternativas, producto de sus preferencias afectivas, de sus evaluaciones racionales o de una mezcla de ambas.

Si la pertinencia de la idea está motivada por análisis racionales, debe identificarse claramente lo siguiente:

- Necesidades insatisfechas en la actual o potencial clientela.
- Debilidades detectadas en la oferta de la competencia.
- Mercados no servidos o mal atendidos.
- Cambios tecnológicos, sociales, políticos o culturales, que muestren la relevancia de nuevos productos o servicios.

Por ejemplo, a un comprador de música, en una tienda especializada se le puede vender la mezcla deseada de géneros y autores, de acuerdo con sus preferencias y gustos, en una sola unidad de almacenamiento (CD, memoria USB, entre otros).

Por otra parte, si la pertinencia de la idea está motivada por razones afectivas, se recomienda precisar el tipo de actividad en la que el emprendedor se siente cómodo y si se identifica con el nuevo oficio. Por ejemplo, puede sugerirse que la persona imagine su nombre impreso en una tarjeta de presentación que incluya el logotipo del negocio, asociado a la actividad del mismo; en ese momento se sopesa si el futuro creador se siente identificado y feliz al visualizar su nombre allí.

NOTA:

La pertinencia de una idea se guía por necesidades insatisfechas o no servidas, debilidades de la competencia e innovaciones tecnológicas, sociales, políticas o culturales que merezcan nuevos productos o servicios.

4.2 CRITERIOS DE SELECCIÓN Y EVALUACIÓN DE OPORTUNIDADES

Los gustos y preferencias del emprendedor, los cambios en el entorno, las tendencias del mercado, los segmentos de consumidores no atendidos, la competencia declinante, las recomendaciones de expertos, las publicaciones especializadas, la experiencia y el conocimiento en un sector específico de negocios deben ser evaluados para optar por una idea.

GRANDES RETOS, GRANDES EMPRENDEDORES

A finales del siglo XIX, el doctor *John Harvey Kellogg* buscaba un alimento rico, nutritivo y de fácil digestión para que sus pacientes se recuperaran con prontitud. Fue así como encontró que el maíz cocido, mezclado con leche o con agua, resultaba un alimento ideal para la nutrición y recuperación de las personas. La fórmula, que denominó *Corn Flakes*, se convertiría en el primer cereal listo para consumir.

Desde el principio los *Corn Flakes* de *Kellogg* tuvieron mucho éxito, pues en el momento en que se vieron los resultados obtenidos en los pacientes y convalecientes del sanatorio, el alimento se popularizó rápidamente, dado que las familias descubrieron su gran valor nutritivo.

La demanda de los *Corn Flakes* aumentaba días tras día, lo que llevó al doctor *Kellogg* a fundar, en compañía de su hermano *Will Keith*, la compañía *Sanitas Food Company* para producir cereales integrales. Por aquel entonces, el desayuno tradicional de la gente pudiente constaba de huevos y carne. Los pobres comían avena cocida, gachas y otros cereales hervidos.

Pasaron algunos años y el interés de *John* seguía siendo el mismo: la salud de sus pacientes, pero *Will* encontró la ventana de la oportunidad y los hermanos terminaron discutiendo sobre si debían o no añadir azúcar a los cereales, por lo que en 1906 Will creó su propia compañía, la *Battle Creek Toasted Corn Flake Company*, que al final se convertiría en la *Kellogg's*.

El Reino Unido y Canadá fueron los primeros países en los que se comercializaron los cereales *Kellogg's* para el desayuno. Pocos años después, se sumaron Australia, Sudáfrica, Dinamarca, Japón y prácticamente toda Europa. En la actualidad, *Kellogg's* está presente en más de 180 países, tiene más de 25 mil empleados y cuenta con 17 plantas de producción.

Para ello se utilizan herramientas que orienten la selección de la oportunidad de negocio. Este texto, más adelante, proporciona instrumentos que permiten examinar y determinar la consistencia y prevalencia de la idea evaluada. Por ejemplo, si se utiliza el concepto de la cadena del valor[4], se puede identificar el grado de vulnerabilidad o solidez del negocio en cuestión, en tanto que se observen eslabones de la cadena mal atendidos.

4.3 LA VENTANA DE OPORTUNIDAD

Todo emprender tiene su momento de partida. La ventana de oportunidad encierra aquellas características, hechos, situaciones o circunstancias que inducen a pensar y creer que la puesta en marcha es ahora o en otro tiempo. Tiene relación con si el negocio está asociado a ciclos o estaciones, a eventos determinados o es permanente. Si el emprendedor no hace uso de la ventana de oportunidad, ¿habría otros interesados en aprovecharla?

4.3.1 Factores económicos atrayentes

Independientemente de que la idea tenga finalidad lucrativa o no, para que el proyecto sea sostenible en el tiempo, debe tener un gancho económico, es decir, en el caso de iniciativas con una finalidad clara de lucro, como pueden ser propuestas en las que, entre otras cosas, el emprendedor esté inspirado por la búsqueda de riqueza, ellas deben en sí mismas entusiasmar a inversores potenciales.

Si fuese un proyecto social cuya motivación sustancial no es el lucro, el plan deberá mostrar bondades económicas, como generar excedentes para la reinversión y desarrollo de la empresa.

En consecuencia, deben surgir, entre otros, los siguientes interrogantes:

- ¿A cuántos consumidores o usuarios les interesaría el producto o servicio?
- ¿A qué precio?
- ¿Con qué margen de ganancia?
- ¿Valen la pena el esfuerzo y el riesgo financiero que se deben hacer frente a la retribución económica del negocio?

4 En 1985, Michael Porter planteó el concepto de cadena de valor. Para entender su esencia, hay que partir de la idea de "valor", que, según el académico, corresponde a los beneficios que el cliente percibe en el producto adquirido, menos los costes en los que ha incurrido y de los cuales también es consciente. La cadena de valor, entonces, es un método de análisis de las actividades de la empresa, que permite desagruparlas para determinar cuáles de ellas generan ventajas competitivas.

4.3.2 Expectativas, necesidades y deseos latentes en el cliente

Detrás de la oportunidad de un negocio hay un producto o servicio que casi siempre satisface una necesidad permanente de los consumidores, aunque cambie el tipo de destinatario.

Los individuos no compran productos o servicios por su morfología, sino por la satisfacción que ellos ofrecen al colmar un requerimiento. Por ejemplo, los productores de papel carbón en la década de los años 70 satisfacían la necesidad de copiado; en aquella época no se podía imaginar una oficina y, por qué no, la humanidad entera, sin disponer de hojas de papel carbón. Se trataba de un negocio fabuloso de carácter global. Hoy día no existen en las oficinas inventarios de hojas de papel carbón; el elemento que daba satisfacción ha cambiado, pues se usan otros medios para copiar o duplicar información. No obstante, la necesidad de obtener copias de los documentos permanece.

NOTA:

Para que sea sostenible, todo proyecto, aunque no tenga ánimo de lucro, debe tener un gancho económico.
Tras la oportunidad de negocio hay productos o servicios que satisfacen necesidades de los consumidores.

4.3.3 Tendencias del mercado

Es una condición fundamental examinar cómo evolucionan las expectativas, necesidades y deseos de los clientes y cuáles han sido las respuestas, en términos de objetos que proveen satisfacción —productos o servicios—, por parte de las empresas actuales.

También se debe analizar cómo es el comportamiento del ciclo de vida internacional de los productos y servicios, o que ayudan a determinar el grado de oportunidad de un negocio. Por ejemplo, se observa que en los negocios asociados con tecnología, los países inventores y desarrolladores son unos y los países manufacturados, ensambladores o importadores pueden ser otros. Más adelante se muestra cómo efectuar este tipo de exámenes.

4.3.4 Debilidades de la competencia

Este factor consiste en precisar claramente las cosas o procesos que mejorarían, sustancialmente, lo que hoy ofrece la competencia, para mayor satisfacción o conformidad de los clientes con los actuales productos o servicios. Por ejemplo, se le sugiere al emprendedor que pregunte a las personas que intentan comunicarse con una empresa, que están ante un mostrador o ventanilla, o que esperan en una fila, qué cosas deberían cambiarse en la propuesta actual de negocio, qué esperan recibir o qué reciben y/o qué haría que su decisión de comprar en ese lugar cambiara radicalmente.

4.3.5 Cambios tecnológicos y nuevas propuestas

Los cambios tecnológicos, como respuesta a necesidades existentes, son inductores de hábitos y conductas. Un análisis prospectivo de la tecnología en cada sector permite anticipar e identificar nuevos productos y servicios. Por ejemplo, la evolución de la tecnología utilizada en los procedimientos quirúrgicos genera nuevas formas de tratamientos, seguros y efectivos, que se realizan bajo anestesia local, implican poca o ninguna incapacidad para el paciente y sus resultados estéticos y funcionales son excelentes.

4.3.6 Localización física y la clientela

No existen negocios sin clientela. Por tanto, es fundamental analizar si ella tiene o no fácil acceso a la empresa, como condición de oportunidad.

En líneas generales, en los negocios asociados con productos o servicios que requieren la concurrencia de personas, la disponibilidad de transporte masivo y la posibilidad

NOTA:

Orienta la viabilidad del proyecto confrontar la evolución de las expectativas, necesidades y deseos de los clientes con las respuestas que han recibido.
Oportunidades de negocio se encuentran al determinar las mejoras sustanciales que pueden renovar la oferta de la competencia.
El examen prospectivo de la tecnología permite anticipar e identificar nuevos productos y servicios.
Una buena localización física apoya productos y servicios pues atrae importantes flujos de público al negocio.

de parking para los coches son factores críticos de éxito. Si se trata de negocios donde la afluencia de público no es un factor esperado, se precisan excelentes recursos de conectividad y comunicación, así como ágiles y efectivas redes y actividades de abastecimiento.

Desde la perspectiva de la cadena del valor, la localización física es clave, en la medida en que apoya los productos y los servicios al facilitar la atracción de flujos importantes de público al negocio. Por ejemplo, una tienda de barrio que suministre a los hogares productos de consumo diario y fresco, ubicada en una avenida principal de alto tráfico de vehículos, necesitará parking cercanos o deberá desarrollar toda una red de abastecimientos para pedidos telefónicos o por Internet, y hacer entregas a domicilio. Una empresa que preste servicios de salud pre o pospago tendrá que contar con un sistema informático con ancho de banda suficiente y software efectivo, para que los usuarios puedan solicitar y separar sus citas y con posterioridad recibir los resultados de las pruebas clínicas.

4.3.7 Ciberespacio y economía

Con la incorporación de la red electrónica a los negocios se cambian algunos paradigmas sobre la manera de organizar nuevas empresas, se disminuyen costes transaccionales, se tiene acceso a mercados globales, se incrementa la competencia, se transforman los ciclos y los modelos de negocios, se acelera la innovación, se incorporan nuevos conceptos de alianzas estratégicas, y se modifican las estructuras organizacionales y la forma de dirigir.

La economía, como marco transaccional y relacional entre individuos y sociedades para resolver las necesidades de producción, distribución, financiación, consumo y desarrollo de la capacidad empresarial, propone ideas innovadoras, reveladoras y a veces radicales sobre la forma de hacer negocios, como ocurre cuando detecta competidores que antes no existían o sugiere inclinarse por negocios de reciente aparición. La tendencia del momento se refiere a la oportunidad de realizar transacciones a través de la interconexión que ofrece Internet.

El espacio virtual modifica sustancialmente la forma de hacer negocios, hasta punto de que ya es posible disponer de servicios empresariales 24 horas al día, todo el año, sin moverse de casa o del lugar donde la persona se encuentre. De esta manera, cada vez es más evidente que la competitividad y, por qué no, la supervivencia de las empresas dependen

NOTA:

La tendencia del momento se refiere a la oportunidad de realizar transacciones a través de la interconexión que ofrece Internet.

de los negocios apoyados en la red, lo que induce a las actuales organizaciones a pensar en estructurar sus operaciones alrededor de modelos de *e-Business*.

El sistema *e-Business* será el camino fundamental para llegar a mercados globales, promover las exportaciones y aprovechar la competitividad cambiaria en algunos productos y servicios orientados a mercados internacionales. Como prueba de la anterior afirmación, puede imaginarse el caso de manejar el método *B2B*[5], o negocios entre empresas mediante la red, con lo que se eliminarían algunos procesos de intermediación y logística en las cadenas de valor de las empresas para hacerlas más competitivas. Igualmente los esquemas de *B2C* o *Business to Consumer*[6] podrían mejorar los niveles de satisfacción de la clientela, lo que incrementa, del mismo modo, las ventajas competitivas de quienes adopten modelos de negocios con los beneficios de Internet.

Este actual entorno es una alternativa para acceder a otros mercados mediante la conectividad y las nuevas tecnologías como factores de la cadena del valor que moldearán inesperados esquemas comerciales, derivados de la interpretación de la conducta del consumidor del siglo XXI.

La economía ciberespacial plantea que el *e-Business* ya no es un aspecto de simple tecnología, sino un cambio estratégico en la forma de realizar las transacciones que incidirá en todo tipo de organizaciones.

4.3.8 Oportunidades de la economía ciberespacial

El emprendedor debe aprovechar el modelo de negocios del *e-Business* para generar valores agregados y consolidar relaciones sostenibles con la clientela mediante una forma más sencilla de satisfacer sus necesidades.

La concepción cibernética permite hacer innovaciones esenciales en la forma de hacer negocios. Al incorporarlas, el emprendedor pensará en generar en el cliente los beneficios de tres efectos que se relacionan y describen a continuación, con la certeza de que, a su vez, él también encontrará grandes oportunidades en propuestas novedosas, viables y sostenibles. Los efectos buscados son:

- Menor coste económico.
- Menor coste psicológico.
- Menor coste social.

---

5 B2B es la abreviatura de la expresión anglosajona *business to business*, que se refiere al comercio electrónico entre empresas.

6 B2C hace referencia al comercio electrónico efectuado por las empresas con los particulares.

4.3.8.1 Menor coste económico

Al eliminar actividades que implican la presencia física del cliente, se hará más eficiente el proceso de negocios.

Esto quiere decir que habría una reducción sustancial de los costos transaccionales, entendidos como aquellos en los que se incurre para realizar las actividades que propicien una atención de calidad para los clientes. Se espera que a menores costes haya mejores precios de venta para beneficio del consumidor, y se estabilicen los márgenes de rentabilidad para el emprendedor.

4.3.8.2 Menor coste psicológico

La relación entre una empresa y la clientela puede y debe contribuir a una de las finalidades existenciales de todo ser humano: ser feliz. Es inaceptable que los vínculos entre consumidores (clientes) y las organizaciones que trabajan con esquemas tradicionales de gestión tengan una carga negativa que afecta emocionalmente a los individuos y genera altos niveles de estrés y desesperanza, dada la falta de oportunidad y, a veces, la imposibilidad para colmar las necesidades, expectativas y deseos de los usuarios. La práctica es más notoria en aquellos modelos de servicios, basados en hábitos burocráticos, detallados en los procedimientos de atención de organizaciones no competitivas.

Las nuevas tecnologías que posibilitan la conectividad deben producir una mejora sustancial en la relación cliente-empresa, para que haya un incremento notable del bienestar individual y colectivo de la sociedad. Una organización naciente, con una promesa de valor que eleve el nivel de satisfacción y bienestar en la clientela, tendrá una ventaja competitiva importante. Para comprobar lo anterior sólo hay que imaginar cómo sería la calidad de vida de las personas, si todas las transacciones que deben efectuar para acceder a los servicios que requieren para vivir pudieran hacerse con el mínimo de desplazamientos físicos.

4.3.8.3 Menor coste social

Si aparecen nuevas propuestas de valor que permitan que los individuos focalicen y destinen sus esfuerzos, recursos y tiempos para atender las actividades esenciales de la vida, colectivamente se tendría una sociedad más armónica y equitativa, con mejores niveles de bienestar.

A título de reflexión, si por lo menos un 30% de la vida de un ser humano, con el modelo tradicional de relacionarse y hacer transacciones, se destina a realizar operaciones que no le agregan valor a su proyecto personal, puede examinarse con imaginación y prospectiva cómo será una sociedad donde las personas usen ese tiempo para mejorar aspectos de relaciones humanas, de crecimiento personal, de disfrute de tiempo libre y de atención a sus familias.

La iniciativa emprendedora tiene alto sentido humano porque se orienta a la mejora de las organizaciones existentes, y a la creación de nuevas formas empresariales que den respuestas a las grandes necesidades de bienestar existentes en todos los sectores de la sociedad.

Las nuevas realidades que propone la economía ciberespacial inducen a identificar propuestas y modelos de empresas para afrontar los siguientes retos:

- Mejora competitiva en el nuevo entorno.
- Desarrollo de esquemas innovadores de medios de pago en todas las transacciones.
- Operaciones y logísticas para las actuales y futuras expectativas, necesidades y deseos de las personas.
- Masificación del uso de los ordenadores conectados a la red, mediante la oferta de salas comunitarias de fácil acceso y bajo coste tarifario.
- Formas masivas de acceso a la educación.
- Reconversión de los esquemas de gestión y operación de las actuales empresas.
- Sistema único de información e identificación de los ciudadanos, para todas sus transacciones.
- Propuestas para el uso del tiempo libre de los ciudadanos, para aprovechar el nuevo espacio que dejan las operaciones sin valor agregado que las organizaciones eliminarán.
- Pago de tasas, impuestos, servicios, multas y contribuciones sin que el cliente deba desplazarse.
- Relaciones transaccionales y de decisión frente a la administración pública.
- Operaciones relacionales con las instituciones públicas y privadas.
- Compras de productos de consumo.
- Compras especializadas.
- Todas las operaciones financieras.
- Procesos educativos.
- Atención sanitaria.

Se concluye, por lo tanto, que en todas las actividades transaccionales y relacionales entre individuos y organizaciones existen oportunidades de creación de empresas.

VOCES PARA LA ACTITUD EMPRENDEDORA

- Evalúe cómo convertir sus ideas en oportunidades de negocio.
- Elabore una lista ordenada de oportunidades, acorde con la viabilidad de puesta en marcha, y tenga en cuenta si cumplen con la mayor cantidad de condiciones exploratorias.

GRANDES RETOS, GRANDES EMPRENDEDORES

Muchos son los emprendedores que han visto en el ciberespacio la oportunidad de consolidar su iniciativa. Las propuestas que se presentan a continuación son una muestra de las múltiples posibilidades que pueden surgir y de cómo ellas contribuyen a la producción de los efectos de menores costes económicos, sociales y psicológicos.

En Medellín, ciudad colombiana, tiene su sede un portal de Internet, cuyo objetivo es ofrecer una guía de proveedores para eventos. Según la descripción que hacen:

"Planeandoeventos.com es un portal creado con el objetivo de brindar orientación y facilitar la búsqueda de las diferentes alternativas de productos y servicios que se requieren para la organización de un evento, bien sea social, empresarial o académico.

El visitante encontrará, además de un completo directorio de proveedores, artículos de interés y algunas recomendaciones importantes para tener en cuenta en el momento de organizar un evento. El Portal publica la información para que el usuario contacte directamente a los proveedores que se ajustan más a sus intereses y necesidades.

Planeandoeventos.com es, sin duda, una excelente herramienta para simplificar y enfocar su labor de planificación, encontrando todo lo que necesita en un mismo lugar".

Bogotá, por su parte, es la sede de porencargo.com. Esta empresa se describe así:

GRANDES RETOS, GRANDES EMPRENDEDORES *(cont.)*

"Desde 2004 nuestra compañía ha logrado satisfacer a cientos de clientes en la consecución de encargos personales de todo tipo (desde chicle hasta los más sofisticados artículos electrónicos), así mismo ofrecemos el envío a domicilio, y nos encargamos de todos los trámites necesarios para que usted pueda recibir sus compras de la manera más cómoda y confiable. No hay encargo pequeño, básicamente usted puede solicitar cualquier producto que sea actualmente distribuido dentro de los Estados Unidos y nosotros nos encargamos de encontrarlo, cotizarlo y llevarlo a sus manos.

Nuestra compañía se especializa en la distribución de mercadería desde USA a Colombia; contamos con personal capacitado para la consecución, manejo y envío a domicilio ...

RÁPIDO, FÁCIL Y SEGURO

Mediante nuestro formulario, usted va a poder encargar cualquier producto que necesite...

Simplemente proporciónenos la información del artículo y nosotros nos encargamos de lo demás".

HERRAMIENTAS EMPRENDEDORAS

Siete puntos para afinar la evaluación de nuevas oportunidades de negocios:

1) ¿Está claramente identificado el segmento de mercado o el nicho que se planea servir?

   En la medida en que los productos o servicios estén focalizados a grupos de población específicos que tengan algún grado de identificación con los beneficios buscados en la propuesta de negocios, es mucho más fácil organizar la estructura y la operación para competir.

2) ¿Existe un mercado mínimo que permita garantizar las ventas necesarias para llegar al equilibrio financiero?

HERRAMIENTAS EMPRENDEDORAS *(cont.)*

En la tercera unidad de este libro se explica el concepto de punto de equilibrio y se incluye un simulador para examinar el impacto del volumen de ventas que aspira a lograr el emprendedor en determinados períodos. Sin embargo, en la etapa inicial de evaluación deben estimarse el volumen de ventas requerido por mes o año para tener cubiertos los costes y gastos que implica la operación de la empresa. Expresado de otra manera, ¿cuál es el total de ventas que se debe alcanzar para no perder dinero?

3) ¿El mercado crece a tasas iguales o superiores a las de la economía?

Cuando los gobiernos divulgan las estadísticas de crecimiento de la economía, expresado en términos de Producto Interno Bruto, PIB, es necesario detallar el comportamiento específico del sector donde se encuentra la oportunidad de negocio; según se presente, la estrategia de iniciación es diferente. Por ejemplo, si el PIB revela que el sector crece a tasas superiores al promedio de la economía, éste atraerá muchos emprendedores. Entonces no tiene mucho sentido entrar a competir con productos y servicios iguales a la actual oferta, pues en la turbulencia competitiva serán los precios, tal vez, la variable clave para atraer consumidores a la nueva empresa. Toman importancia, en consecuencia, las propuestas innovadoras en valor, como se explica más adelante.

4) ¿Existe un razonable margen de utilidades de acuerdo con la perspectiva de ganancia del emprendedor?

Dependiendo de cuáles son los hechos desencadenantes para tomar la decisión de emprender, siempre existirá una expectativa de utilidades consecuente con el nivel de riesgo y esfuerzo del emprendedor.

5) ¿Hay competidores dominantes en el mercado?

Es importante examinar si las ventas totales del sector en perspectiva están realizadas por múltiples empresas ofertantes con participaciones pequeñas o, por lo contrario, hay una empresa que posee el mayor volumen de ventas de este tipo de negocio. En uno u otro caso, la estrategia para entrar al mercado sería diferente.

6) ¿Se identifican barreras de acceso a ese tipo de negocio, que en principio parecen infranqueables?

HERRAMIENTAS EMPRENDEDORAS *(cont.)*

Cuando se pretende incursionar y competir con negocios existentes es necesario detallar cuáles serían los obstáculos que han creado los actuales competidores para diluir el interés de potenciales emprendedores en participar en estos negocios.

Estos obstáculos o barreras están asociados con la posición afianzada de una determinada marca, el capital y la tecnología requerida, el control de la cadena del valor, las regulaciones gubernamentales, y los costes a cargo de la clientela ante un posible cambio de proveedor. Si se conocen y se investigan esos frenos, seguramente se encontrarán los modos de superarlos.

7) La oportunidad de negocios, ¿tiene una respuesta significativa y oportuna en términos de ventaja competitiva? En otras palabras, ¿qué cosas podrían hacerse mejor que la competencia actual?

Para tener en cuenta y encontrar una argumentación y proposición de negocio diferente, de las experiencias sin éxito que han vivido algunos emprendedores se han identificado una serie de aspectos que condujeron al fracaso del proyecto. Éstas son:

- Existencia de un mercado total muy pequeño y competitivo, sin perspectivas de diferenciación.
- Poca claridad en la identificación de la necesidad que se pretende satisfacer en la clientela.
- Incapacidad para desarrollar ventajas competitivas.
- Existencia de una competencia dominante y un alto coste de entrada para acceder a una porción de clientes.
- Incapacidad técnica y financiera para elaborar productos diferentes a precios competitivos.
- Escaso control sobre los eslabones de la cadena del valor que inciden en el negocio creado.
- Poca visión asociativa y equipo de trabajo reducido para desarticular procesos y trabajar en forma cooperada.
- Exagerado nivel de endeudamiento financiero.

VOCES PARA LA ACTITUD EMPRENDEDORA

- De acuerdo con los factores descritos, en el negocio que se ha planteado, ¿qué decisiones considera que deberá tomar?

Capítulo 5

LA INNOVACIÓN, SOPORTE DE LA NUEVA EMPRESA

Howard Stevenson establece un nuevo paradigma en la administración empresarial al señalar la diferencia entre un emprendedor y un administrador convencional: en tanto que el dominio del emprendedor está guiado por la percepción de oportunidades, el del administrador está orientado por la disponibilidad de recursos[7].

Ser un cuidador de recursos sin iniciativa, un funcionario de una organización que simplemente cumple con su deber no genera innovación, ni segmentaciones, ni mucho menos crecimiento en los resultados económicos.

5.1 EL CONCEPTO DE INNOVACIÓN

Cuando se habla de innovación no necesariamente se hace referencia a la tecnología. Innovar es renovar, introducir una novedad. En consecuencia, la innovación se genera a partir de la existencia de productos, procesos o situaciones.

7 STEVENSON, Howard. *A New Paradigm for Entrepreneurial Management"*en J. J. Kao y H. H. Stevenson (ed.): *Entrepreneurship: What it is And How to Teach It.* Cambridge: Harvard Bussiness School.

Para introducir la innovación como parte de la cultura de una empresa debe tenerse en cuenta que todo lo que será cambiado, transformado o mejorado ya existe (atributos y carencias) y va a ser reformado en un contexto o entorno, para beneficio de alguien (necesidades de los consumidores o usuarios).

Lo fundamental de un proceso de innovación es el referente de a quién debe favorecer la renovación o la novedad; en este caso los consumidores o usuarios son quienes deben recibir en forma concreta los impactos positivos de las transformaciones.

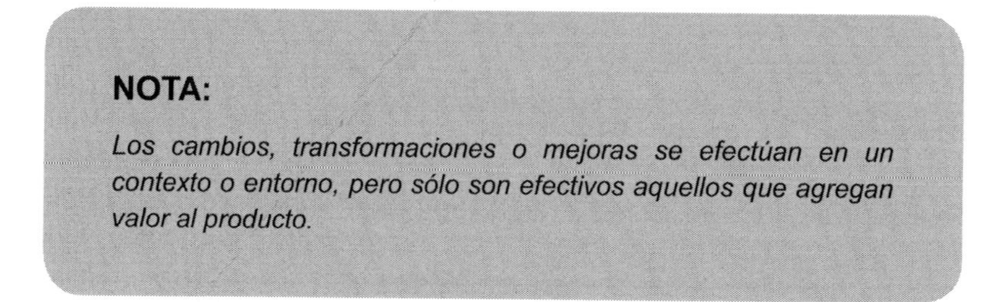

NOTA:

Los cambios, transformaciones o mejoras se efectúan en un contexto o entorno, pero sólo son efectivos aquellos que agregan valor al producto.

Algunas empresas creen que están innovando porque transforman, reestructuran o modifican productos o procesos de servicio, sin embargo, con ello no logran mejorar los niveles de satisfacción de la clientela. Muchas otras, que se han transformado a través de la innovación, en vez de lograr mayor fidelidad de la clientela la han distanciado. La razón: se debe considerar como verdadera innovación aquello que represente un valor agregado para el cliente.

Desafortunadamente se ha perdido el enfoque de lo que es agregar valor, y se asocia con la intención de la empresa de agradar o satisfacer al cliente, sin una reflexión profunda, sin evidencia de que los clientes esperan lo adicionado y, por lo tanto, están dispuestos a pagar por ello y a permanecer como consumidores habituales.

La llamada a la innovación en valor es más simple. Se refiere a todo aquello que ofrece y cumple la empresa y que satisface las expectativas, necesidades y deseos de la clientela. No se trata de lo que supone la empresa que simplifica su operación y, por ende, reduce los costes, sin que ello se traduzca en un estímulo sustancial para el cliente.

En ese sentido, en cuanto a productos, algunas opciones de innovación en valor asociadas tienen que ver con lo que incremente el valor de uso de los mismos, como:

- Facilitar el almacenamiento y transporte.
- Disminuir los contaminantes y desperdicios.
- Usar materiales biodegradables.
- Mejorar en el confort.
- Simplificar el mantenimiento y la operación, entre otras.

Paralelamente se podría generar una disminución en los costes por eliminación de todo aquello que no representa ningún valor para el cliente; es decir, que no incrementa su grado de satisfacción.

Sobre la innovación en procesos, por su parte, pueden incluirse todas aquellas mejoras que hagan simple la accesibilidad a los productos o servicios por parte de la clientela.

NOTA:

La innovación sólo tiene sentido si genera una sólida complacencia en los usuarios.

Se han observado empresas que reinventan sus productos a través de la innovación y han deteriorado sus atributos de accesibilidad, oportunidad y confiabilidad en la prestación de servicios al cliente.

Cabe insistir en que innovar no significa desarrollar algo sofisticado y con una tecnología profunda; sólo se requieren la curiosidad y la observación sistemática de la conducta del consumidor para determinar cuáles son los elementos que se deben eliminar, reducir, crear o incrementar en productos o procesos de servicio, de manera que se genere una contundente satisfacción en la clientela, que está dispuesta a pagar por ello y expresar fidelidad a la compañía ofertante con su decisión de compra periódica y permanente.

HERRAMIENTAS EMPRENDEDORAS

LA ESTRATEGIA DEL OCÉANO AZUL

Análisis de la relación entre innovar un producto y desarrollar negocios a partir de la innovación en valor

Convencionalmente, la formación en el campo de los negocios se da con el referente de ser mejores que la competencia, y se compite ya sea por precios o por diferenciación. Esta disyuntiva se ilustrará con una pequeña historia:

Se dice que en un mercado de pueblo existían dos comerciantes que se dedicaban a la venta de víveres y tenían sus negocios en la misma calle, uno

HERRAMIENTAS EMPRENDEDORAS *(cont.)*

frente al otro. Uno de ellos decide colocar un tablero en la puerta del local que dice: Promoción kilo de tomate a US$1,50. Su competidor al ver el anuncio promocional decide imitarlo y exhibe un aviso similar que anuncia: Promoción kilo de tomate US$1,40. Al día siguiente replica el pionero de la estrategia: Promoción kilo de tomate US$1,30, entonces su competidor trata de ser más agresivo comercialmente y anuncia: kilo de tomate a US$1,20. A la siguiente semana el primero anuncia: Promoción kilo de tomate a US$1,0 y docenas de 14 unidades. Ante esta circunstancia el comerciante seguidor nota que su siguiente jugada sería anunciar tomate a un precio inferior, a US$1.0 el kilo, más otros elementos promocionales, lo cual estaría por debajo del coste de adquisición; entonces decide proponer a su competidor un acuerdo de voluntades para fijar un precio en conjunto de igual cuantía y más bien competir con otros elementos diferentes de coste y precio. Lo visita y le manifiesta: "Deseo proponerle una tregua en esta guerra de precios en la venta de tomates", ante lo cual el primer comerciante le dice: "Disculpe usted, vecino, en esta tienda nunca hemos comercializado tomates, pues no nos gusta el negocio de los perecederos".

Esta historia permite mostrar que competir con base en menores precios es una alternativa que utilizan muchos empresarios, y en ella el éxito de uno depende de la depredación de los otros.

La innovación plantea una lógica estratégica distinta en los negocios. La pequeña historia de los comerciantes de tomates indica unas actuaciones de lo que se denomina estrategia de océanos rojos, es decir, jugar al ataque o a la defensa para vencer a la competencia por precio o por algo de diferenciación.

Al introducirse en el campo de la estrategia como soporte para la creación de negocios, un nuevo emprendedor tiene dos opciones: océanos rojos y océanos azules.

Para analizar lo que ocurrirá, se utilizarán los planteamientos formulados por W. Chan Kim y René Mauborgne, en su libro *La estrategia del océano azul*. Los autores[2] plantean una táctica diferente que denominaron innovación en valor, como base sustancial para la estrategia del océano azul. Se puede inferir que se designó océano azul porque, a diferencia de los rojos, el éxito de uno no depende de la depredación del otro. En la nueva propuesta los competidores son menos importantes "al dar un gran salto cualitativo en valor tanto para los compradores como para la compañía, abriendo de paso un espacio nuevo y desconocido en el mercado".

En cuanto al asunto de los costes, no hay contradicción al construir una estrategia donde la diferenciación y el bajo coste se complementen y no sean excluyentes, tal como se ilustra en el gráfico siguiente.

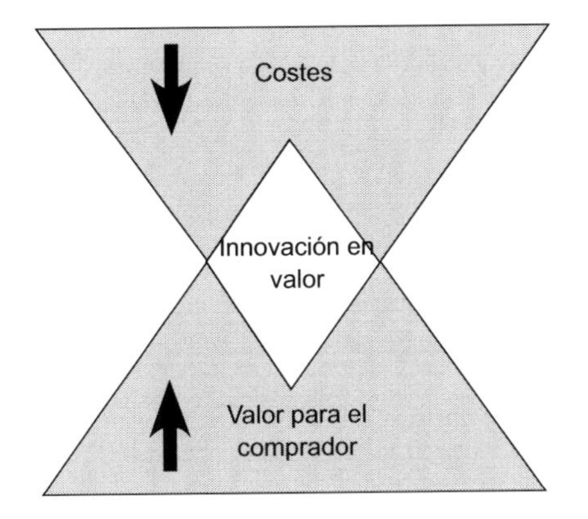

Gráfico 5.1. Búsqueda simultánea de la diferenciación y el bajo coste [3].

Para la creación de nuevos negocios, *Kim* y *Mauborgne* presentan una herramienta poderosa en el ámbito de los océanos azules, como se puede observar en el gráfico a continuación:

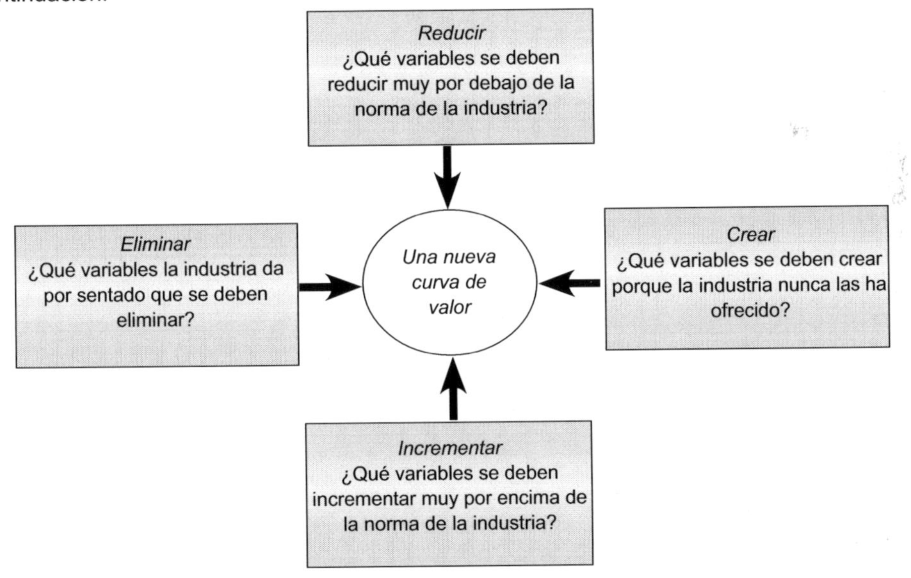

Gráfico 5.2. Esquema de las cuatro acciones [4].

8 KIM, MAUBORGNE. *La estrategia del océano azul*, p. 17.

9 Op. cit., p. 23.

10 Ibíd., p. 51.

Cuando se trata de crear nuevos negocios, la matriz referenciada, que combina incrementar, eliminar, crear y reducir, permite evaluar ideas de negocio que consoliden una nueva propuesta de valor.

Dentro de esta conceptualización, el término valor se refiere a los atributos y variables que aprecia un cliente y que, al momento de la evaluación, no figuran dentro de la industria examinada. El cliente estaría dispuesto a pagar algo por su inclusión e inclinará su decisión de compra a favor del producto innovado.

Para iniciar una lluvia de ideas, se puede, por ejemplo, tomar la clasificación de los negocios de algún directorio industrial o de las Páginas Amarillas del directorio telefónico, que establecen una gama amplia de grupos para analizar.

NOTA:

A la hora de innovar, es fundamental considerar cuatro acciones: reducir, eliminar, crear e incrementar.

VOCES PARA LA ACTITUD EMPRENDEDORA

A continuación se incluyen una listado de negocios que pueden evaluarse mediante la aplicación de las cuatro acciones planteadas en la estrategia del océano azul, propuesta por Kim y Mauborgne.

Según las preferencias individuales, es posible determinar en cada uno de ellos lo que es susceptible de reducir, crear, incrementar y eliminar. Como resultado, puede surgir un nuevo negocio, con innovación en valor.

- **ALIMENTOS**

  Alimentos para diabéticos y pacientes crónicos.
  Helados de fruta natural.
  Productos típicos de la región.

- **INFORMÁTICA**

  Servicios de información y entrenamiento a proveedores.
  Venta de equipos de informática, software y servicios.

VOCES PARA LA ACTITUD EMPRENDEDORA *(cont.)*

- **CONSTRUCCIÓN**

  Formación, asesoría, representación.
  Desarrollo de productos de diversa aplicación.
  Elaboración y supervisión de proyectos de ingeniería.

- **NEGOCIOS DE SERVICIOS**

  Hostelería y turismo con conceptos sostenibles.
  Música grabada a gusto del consumidor.
  Servicios legales corporativos y consultoría en todos los campos.
  Servicios para automotores.

- **NIÑOS**

  Juguetes y alternativas para el uso del tiempo libre.

- **SEGURIDAD**

  Alarmas para coches.
  Compañías de vigilancia y protección.
  Sistemas de seguridad.

- **DISTRIBUCIÓN COMERCIAL Y/O MANUFACTURA**

  Alfombras sintéticas para golf.
  Artículos deportivos y accesorios.
  Recambios para motocicletas.
  Azulejos para suelos.
  Casas prefabricadas de madera.
  Casas y edificios de paneles.
  Vallas de protección.
  Coberturas acrílicas.
  Coberturas decorativas.
  Coberturas varias.
  Diseño y venta de muebles.
  Gasolineras.
  Fabricación de juegos infantiles.
  Fabricación de postres individuales.
  Franquicias internacionales.
  Frenos y productos químicos para sincronización de vehículos.

VOCES PARA LA ACTITUD EMPRENDEDORA *(cont.)*

Frutos secos.
Gorras para impresión o bordado.
Joyería, collares.
Juegos infantiles especializados en estimulación temprana.
Lubricantes sintéticos.
Mermeladas.
Pastelería de frutas.
Pisos antideslizantes.
Plantillas para zapatos.
Productos de carne de avestruz.
Productos biodegradables de limpieza.
Productos ecológicos de limpieza.
Productos para retocar superficies.
Productos relacionados con la cultura.
Promoción, distribución, venta e instalación de películas polarizadas y de seguridad para coches.
Protección antiinflamable para textiles.
Protección para motores.
Reparación de objetos en fibra de vidrio y porcelana.
Réplica de muebles antiguos (rústicos).
Reproducciones de cuadros de arte en papel, tela y cuero.
Restauración y reparación.
Retocado de azulejos y tinas.
Revestimientos de piedra.
Ropa de sport.
Ropa exclusiva para mujeres y artículos para adultos.
Ropa interior femenina.
Ropas en tallas extras, vestidos formales.
Sistema de cobertura para vidrio y ventanas.
Sistema de control ambiental.
Sistema para decorar concreto.
Sistemas de seguridad automotrices.
Telas de diferentes fibras para uniformes empresariales.
Tiendas de regalos y accesorios.
Ropa de gimnasia.
Venta de alfombras.
Venta de material didáctico, discos compactos, videos y libros.
Zapatos.

VOCES PARA LA ACTITUD EMPRENDEDORA *(cont.)*

- **PRODUCTOS PUBLICITARIOS**

  Artículos promocionales impresos.
  Artículos promocionales y de publicidad.
  Diseño para escaparates.
  Medios publicitarios.
  Mensajes para teléfonos.
  Publicidad exterior.
  Señalización de ciudades.
  Señalización de negocios.

- **SALUD**

  Alimento celular.
  Compraventa de equipo para laboratorio.
  Lente intraocular para cirugía de cataratas.
  Medicamentos 100% naturales.
  Productos desechables para hospitales.
  Software especializado.
  Seguros de salud para procedimientos especiales.

- **SEGURIDAD**

  Aerosol para defensa personal.
  Equipo de seguridad, cámaras simuladas.
  Espuma antiinflamable.
  Productos para defensa personal.
  Productos para prevención de robos.
  Protección para ventanas.
  Sistemas integrales de seguridad (alarmas, circuitos cerrados de televisión, etc.).
  Sobres y bolsas de seguridad para envío de documentos.
  Venta de seguros en general.

- **SERVICIOS EMPRESARIALES**

  Formación de personal.
  Consultoría.
  Fabricación de credenciales de identificación.
  Productos para formación empresarial.
  Productos promocionales.

VOCES PARA LA ACTITUD EMPRENDEDORA *(cont.)*

Test de habilidad para selección.

- **TELECOMUNICACIONES**

  Equipo móvil de comunicación.
  GPS.
  Tarjeta prepago para llamadas internacionales.
  Teléfonos móviles.

- **SANEAMIENTO DE AGUA Y AIRE**

  Productos para el cuidado de la piel.
  Purificación de aire.
  Sistema de purificación y embotellado de agua.

VENTAS AL POR MENOR

- **INFORMÁTICA**

  Accesorios para ordenador.
  Equipos de telecomunicación y software para ordenadores.
  Recargado de cartuchos y tinta para impresoras.
  Reproducción interactiva de libros de texto.
  Sistemas administrativos de informática.
  Software administrativo.
  Software antivirus.

- **COSMÉTICOS**

  Cosméticos naturales para la piel.
  Cosméticos y tratamientos faciales y corporales.
  Fabricación de champú naturista.
  Pelucas para damas y caballeros.
  Perfumes de moda.
  Productos de belleza naturista.
  Productos de belleza personalizados.
  Productos para la piel.
  Reproducciones de fragancias.
  Tiendas de cosméticos y perfumes.

VOCES PARA LA ACTITUD EMPRENDEDORA *(cont.)*

- **VIAJES**

  Agencia de viajes.
  Alquiler de vacaciones.
  Turismo ecológico.
  Turismo rural.

- **PRODUCTOS Y SERVICIOS VARIOS**

  Accesorios para uso recreativo.
  Alquiler de equipo, préstamos.
  Artículos higiénicos desechables.
  Cepillos de masaje corporal y facial.
  Comida para mascotas.
  Fabricación de perfiles plásticos y pigmentos.
  Galvanizado de piezas metálicas.
  Insecticida ecológico.
  Kioscos móviles de productos diversos.
  Línea hidráulica de polipropileno.
  Producciones musicales.
  Productos biológicos para la agricultura.
  Productos naturistas.
  Productos para conservar energía.
  Alquiler, venta y espectáculos con robots interactivos.
  Servicios de video y fotografía.
  Colchas, manteles y textiles de algodón.
  Software educativo, de negocios y para niños.
  Suelas para zapato.
  Tarjetas de regalo.
  Venta de artículos electrónicos.
  Vitaminas, minerales personalizados.

LICENCIAS Y FRANQUICIAS

- **ACCESORIOS Y VESTIMENTA**

  Joyería de oro.

VOCES PARA LA ACTITUD EMPRENDEDORA *(cont.)*

- **AUTOMÓVILES**

  Cambio de aceite a domicilio.
  Cosmética del automóvil.
  Chapa y reparación de parabrisas.
  Limpieza de autos.
  Remodelación de interiores.
  Reparación de parabrisas, pintura, abolladuras.
  Reparación de pintura.
  Retocado de automóviles.

- **BELLEZA Y CUIDADO PERSONAL**

  Formación para el cuidado de piel y cabello.
  Ducha de hidromasajes.

- **COMIDA**

  Café, zumos.
  Comida rápida.
  Máquinas expendedoras de café.
  Tiendas de café y té.
  Venta de dulces, frutos secos, postres, café.

- **INFORMÁTICA**

  Cartuchos de tinta para impresoras.
  Software infantil y administrativo.
  Software para la gestión empresarial.

- **FOTOGRAFÍA**

  Imágenes personalizadas.
  Impresión de fotos en tazas.
  Impresión en tazas y telas.
  Producción de videos.
  Retratos informatizados de color.
  Sistema de aplicación de fotos.
  Video familiar.

VOCES PARA LA ACTITUD EMPRENDEDORA *(cont.)*

- **IMPRENTAS**

  Impresión en telas.
  Estampado de imágenes en camisetas.

- **MANTENIMIENTO**

  Limpieza de alfombras y tapicerías.
  Limpieza de tapices y paredes.
  Limpieza de sistemas de aire.
  Limpieza de ventanas.
  Limpieza ultrasónica de persianas.
  Limpieza, teñido y restauración de alfombras.
  Reparación de pieles.
  Restauración de tapices.
  Servicios de limpieza.
  Sistema de lavado a domicilio.

- **MEJORA DEL HOGAR**

  Alfombras decorativas.
  Decoración de vidrios.
  Esculturas y alfombras.
  Reparaciones, servicios de remodelación.
  Servicio de inspecciones.
  Servicios de decoración.
  Tratamiento para ventanas.

- **NEGOCIOS DE SERVICIOS**

  Cursos de formación para iniciar un negocio.
  Sistema de autoconstrucción.

- **NIÑOS**

  Acondicionamiento físico pre y postnatal.
  Alquiler de juegos inflables.
  Carrusel para niños.
  Educación preescolar con ordenadores.
  Juegos inflables y mecánicos.
  Libros personalizados para niños.

VOCES PARA LA ACTITUD EMPRENDEDORA *(cont.)*

Programas de educación, ciencias y entretenimiento.
Programas de gimnasia.

- **TIEMPO LIBRE**

Alquiler de equipo para casinos.
Campos de golf portátiles, miniatura.
Sistemas de pesca.

- **SERVICIOS PARA NEGOCIOS**

Auditoría médica.
Consultoría en administración.
Inteligencia de mercados.

- **PUBLICIDAD**

Diseño, impresión y reparto de publicidad.

- **PRODUCTOS Y SERVICIOS VARIOS**

Asistentes personales.
Centros de negocios.
Globos, juguetes, envolturas para regalo.
Historias familiares, escudos de armas.
Limpieza en seco, limpieza industrial.
Servicio para bodas.
Servicio de carga.
Servicio de información.
Sistemas multimedias.

MULTINIVEL

- **BELLEZA Y CUIDADO PERSONAL**

Consultoría de imagen y cosméticos.
Cosméticos, productos para la piel, nutrición.
Hierbas, vitaminas y minerales.
Nutrición, productos personales.

VOCES PARA LA ACTITUD EMPRENDEDORA *(cont.)*

Productos herbales.
Productos nutricionales y de control de peso.
Productos nutricionales y para el hogar.
Productos nutricionales, para la piel, dentales.
Salud, productos para la piel y el cabello.
Suplementos nutricionales, cosméticos.

- **PRODUCTOS Y SERVICIOS VARIOS**

Accesorios decorativos.
Artículos para cocina en acero inoxidable.
Artículos para el hogar, personales y nutricionales.
Comercialización por catálogo de lencería y corsetería.
Diseño de páginas Web, impresión a color.
Alojamiento de páginas Web.
Paquetes y mercancías de viajes.
Productos nutricionales, para la piel, limpieza.
Regalos, decoraciones, productos de cocina.

REPRESENTANTES

- **ACCESORIOS Y VESTIMENTA**

Calzado para señora y accesorios de cuero y sintéticos.
Camisetas estampadas.

- **BELLEZA**

Productos naturistas.

- **INFORMÁTICA**

Colocación de anuncios de inmuebles en Internet.
Desarrollo, asesoría y mantenimiento de páginas Web.
Producción y asesoría en páginas Web.
Servicios de Internet.
Sistemas administrativos modulares e integrables.

VOCES PARA LA ACTITUD EMPRENDEDORA *(cont.)*

- **NEGOCIOS DE SERVICIOS**

  Financiación inmobiliaria y de vehículos.

- **TELECOMUNICACIONES**

  Servicio de televisión vía satélite.
  Instalación de sistemas vía satélite.

MÁQUINAS EXPENDEDORAS

- **COMIDA**

  Máquinas expendedoras de comidas.
  Máquinas expendedoras de dulces.
  Máquinas expendedoras de palomitas de maíz.
  Máquinas expendedoras de agua natural.
  Máquinas expendedoras de café y té.
  Máquinas expendedoras y productos varios.

- **PRODUCTOS VARIOS**

  Expendedoras de arte.
  Expendedoras de productos personales.
  Guardarropa automático.

- **NEGOCIOS DE SERVICIOS**

  Ayuda servicio temporal de oficina.
  Ayuda servicio temporal profesional.
  Colocación servicio temporal – Altos Ejecutivos.
  Guardaequipajes por horas.
  Oficina corredor de Bolsa.
  Organización de eventos.
  Producción de seminarios.
  Relaciones públicas.
  Servicios de consejería.
  Servicios de limpieza.

VOCES PARA LA ACTITUD EMPRENDEDORA *(cont.)*

- **CUIDADO Y EDUCACIÓN DE NIÑOS**

  Centro para cuidados del niño durante el día.
  Educación y lecciones suplementarias.
  Juegos y gimnasio.

- **ORDENADORES**

  Consultor en base de datos.
  Consultor informático.
  Profesor de informática.
  Sistema integrado.
  Técnico informático.

- **NEGOCIOS RELACIONADOS CON EL MEDIO AMBIENTE**

  Entretenimiento medio ambiente-sonido.
  Reciclaje.
  Turismo ecológico.

- **COMIDAS Y BEBIDAS**

  Club nocturno -no alcohol.
  Pizzería exótica.
  Productos gastronómicos.
  Servicio de banquetes.
  Tienda gastronómica.

- **CUIDADOS DE LA SALUD Y ESTADO FÍSICO**

  Aerobic/Instructor de ejercicios.
  Casa de la salud.
  Centro de cuidados ambulatorios.
  Cuidado diario para ejecutivos.
  Dieta clínica.

- **BIENES RAÍCES**

  Administrador de copropiedades.
  Agente de bienes raíces.
  Contratista construcción vivienda.

VOCES PARA LA ACTITUD EMPRENDEDORA *(cont.)*

Evaluador bienes raíces.
Subastador de bienes raíces.

- Elija algunas ideas de negocio de las descritas y examínelas mediante la aplicación del esquema de las cuatro acciones para crear una nueva curva de valor (océanos azules).
- Al terminar, ¿percibe cómo cambia la propuesta de negocios innovada, aun en negocios convencionales?

5.2 PERCEPCIÓN DE OPORTUNIDADES

Para desarrollar la capacidad de percibir oportunidades, es necesario que el futuro emprendedor potencie cuatro competencias básicas:

- Pensamiento divergente
- Asociaciones y analogías
- Percepción del punto de vista contrario
- Análisis de ideas

5.2.1 Pensamiento divergente

Una persona puede desarrollar el hábito y la actitud para elegir entre los procesos de pensamiento divergente o convergente.

El pensamiento convergente es la posición puntual frente a situaciones o estímulos. Normalmente, quien se inclina por este tipo de pensamiento trata de elegir entre dos opciones: aceptar o rechazar, blanco o negro, etc., es la lógica que opera en un cajero automático que dispensa dinero a un cliente.

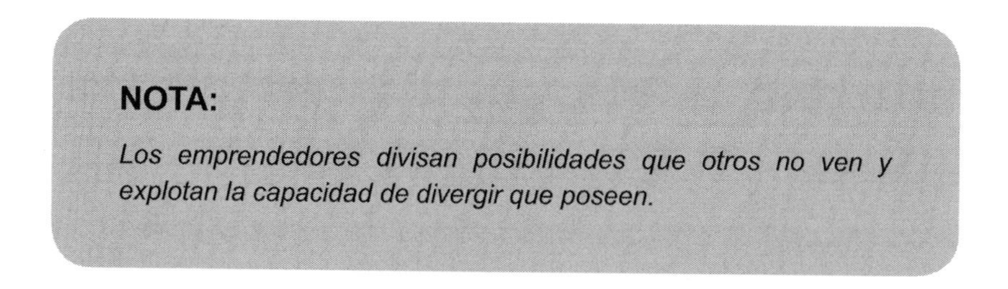

NOTA:

Los emprendedores divisan posibilidades que otros no ven y explotan la capacidad de divergir que poseen.

Por el contrario, el pensador divergente, en vez de respuestas, plantea preguntas; es el proceso de pensamiento más común entre los niños. Al parecer, en la vida adulta el ser humano tiende a perder la capacidad de explorar y preguntar más, lo que se refuerza con la lógica y la racionalidad con que operan las empresas normalizadas y exageradamente documentadas.

Los emprendedores que perciben las oportunidades que otros no ven habitualmente manejan procesos de pensamiento divergente. Una idea inicial de negocio al desarticularse puede conducir a mejores ideas y, por qué no, a oportunidades viables, a veces distantes de la concepción inicial.

Para un emprendedor, toda pregunta lleva a nuevas preguntas, tal como lo plantea la filosofía socrática, a través de la mayéutica.

5.2.2 Asociaciones y analogías

Los grandes creativos utilizan una técnica para encontrar analogías a partir de situaciones, procesos o elementos. Se trata de un método muy sencillo si se desarrolla como hábito para idear e innovar.

Basta con listar una serie de características en la denominada columna clave, para descubrir nuevas aplicaciones en la columna de ideas. Por ejemplo, si se relacionan las distintas actividades que conforman el proceso de comer en un restaurante y pagar con tarjeta de crédito y se aplica la técnica[11] para construir el proceso de atención hospitalaria, es posible encontrar las siguientes analogías:

COLUMNA CLAVE COMER EN RESTAURANTE	COLUMNA DE IDEAS ATENCIÓN HOSPITALARIA
1. Los restaurantes tienen aparcamiento. 2. Las personas se sienten atraídas y van a comer. 3. Los restaurantes suelen ubicarse en sitios con ambientes agradables. 4. Los restaurantes tienen un recepcionista que da la bienvenida y orienta. 5. Los restaurantes tienen menús diversos y documentados. 6. Normalmente hay un camarrero disponible para prestar servicios oportunos.	1. Un hospital necesita aparcamiento. 2. La calidad proyectada en la imagen institucional de un hospital atrae pacientes. 3. Los hospitales deberían estar en sitios tranquilos y accesibles. 4. En los hospitales debería existir alguien que oriente el ingreso de los pacientes. 5. Los hospitales deberían tener diversas especialidades con protocolos documentados. 6. En los hospitales debería existir personal de servicio que atienda con oportunidad, calidad y sentido humano.

11 En 1961, William Gordon propuso una estrategia para el desarrollo de la creatividad y la resolución de problemas, con base en las asociaciones y las analogías. Se denominó el método sinéctica.

El anterior es un ejemplo sencillo de cómo, con el uso de las analogías, es posible construir un nuevo proceso para otros tipos de actividades.

En cuanto a las analogías con los objetos, como ejemplo se puede señalar la observación de las relaciones existentes entre una libélula y un helicóptero, o la cola de una ballena que se sumerge después de respirar y un avión DC-9 visto por detrás.

NOTA:

Un paralelo de situaciones, procesos o elementos es una pauta para encontrar oportunidades de negocio.

5.2.3 Percepción del punto de vista contrario

Toda situación contiene por lo menos dos puntos de vista, por absurdo que parezca el planteamiento. Si se combina esta actitud con el pensamiento divergente es posible evaluar las ideas con una perspectiva más amplia que la simple aceptación o rechazo.

Metodológicamente, se puede construir una escala que vaya de 0 a 100, en donde la asignación de 0 puntos sería para una idea totalmente inútil de la cual no puede rescatarse nada y la de 100 puntos sería para la oportunidad perfecta.

Por ejemplo, si alguien afirmara: "Los bolsillos de los pijamas no sirven para nada", con pensamiento convergente y sin la percepción del punto de vista contrario, podría decirse que la expresión es cierta y que, por lo tanto, la idea de un modista que planteara una prenda de dormir con bolsillos debería puntuarse con cero, es decir como inútil. Sin embargo, con la aplicación del punto de vista contrario, es probable que encontremos algunos elementos útiles para el diseño y confección de los pijamas con bolsillos. Por ejemplo, si alguien debe permanecer en convalecencia o en reposo, el bolsillo del pijama puede tener utilidades para llevar objetos de uso imprescindible en esta situación, como un teléfono móvil, entre otras cosas.

5.2.4 Análisis de ideas

Ésta es una técnica que se utiliza en combinación con las analogías. Se trata de observar situaciones semejantes y desarticularlas en unidades menores para determinar su aplicación.

Como caso ilustrativo, puede hacerse referencia a lo que hubiese ocurrido si antes de que se desarrollara en forma institucional y masiva el concepto de división del trabajo para mejorar la productividad laboral, se hubiera observado el esquema de trabajo de las hormigas para conocer su sistema de organización laboral y aplicarlo, por analogía, a procesos de fabricación.

Existen diversas formas de innovación que merecen someterse a este examen. Por ejemplo:

- Introducir un nuevo producto o servicio que mejore la calidad o disminuya los precios frente a bienes o servicios actuales.
- Implantar un sistema que diferencie los actuales productos o servicios.
- Introducir un nuevo sistema que incremente la productividad y la toma de decisiones (por ejemplo, orientar todo lo relacionado con los ordenadores, como la robótica y las aplicaciones de sistemas, al proceso decisorio).
- Abrir un nuevo mercado especial para la exportación o uno que cubra un nuevo segmento.
- Encontrar una nueva fuente para sustituir materias primas, productos semielaborados o metodologías de producción.
- Crear nuevos procesos o una nueva organización.

Capítulo 6

COMPETITIVIDAD E INICIATIVA EMPRENDEDORA

Los nuevos modelos político-económicos de pluralismo estructurado y globalización enfatizan aún más la exigencia de ser competitivos.

Para empezar, es procedente recordar que competidor es quien ofrece productos o servicios similares a los de otra empresa, que causan satisfacción y que pueden ser elegidos por usuarios o clientes de un mismo sistema económico-empresarial.

Cabe anotar que los consumidores no demandan en sí productos y servicios en el sentido estricto, sino los elementos de satisfacción que ellos representan. Desde este punto de vista, la competencia es un elemento existente pero a veces invisible.

A menudo las organizaciones no perciben la dimensión de sus competidores, porque tienen una visión del negocio articulada, desde la perspectiva de quien desarrolla el producto o el servicio y no de quien lo necesita y lo desea usar.

Si no existiera la competencia, el desarrollo de estrategias empresariales tendría una importancia relativa, pues su esencia es la interacción entre competidores. Esto es notorio al observar lo que ocurre con los sectores de la economía en los que no se permite la competencia, que experimentan deterioros de la calidad e ineficiencia en el uso de los recursos.

El ser humano, como ejecutor de procesos de servicio, pierde el interés o el sentido de tutela hacia las organizaciones puestas a su cuidado cuando éstas se protegen en exceso, o cuando su supervivencia está garantizada por alguna barrera jurídica y no por opciones estratégicas sostenibles. Estas consideraciones han dado origen a conceptos como el de ventaja competitiva, que de alguna forma reemplazó el planteamiento de los economistas clásicos sobre ventaja comparativa.

La ventaja comparativa es una posición derivada de condiciones dadas y aseguradas por el entorno; la ventaja competitiva es la consecuencia de procesos de creación estratégica interna de la sociedad o de las organizaciones para establecer una relación sostenible con el medio y asegurar el alcance de objetivos de supervivencia, crecimiento, rendimiento y competitividad.

Desde la perspectiva propuesta, la competitividad equivale a las decisiones tangibles que una empresa lleva al mercado para que los consumidores identifiquen sus productos como los que de manera más integral satisfacen necesidades, expectativas y deseos; por ello, los prefieren al momento de escoger. Las organizaciones que logran construir diferencias esenciales, al punto de conseguir elecciones autónomas por parte del cliente, se catalogan como las mejores.

NOTA:

Competidor es quien ofrece productos o servicios semejantes a los de otra organización, que satisfacen a los clientes y que pueden ser elegidos en el mismo entorno.
Ventaja competitiva: estrategia de sostenibilidad que asegura el alcance de objetivos de supervivencia, crecimiento, rendimiento y competitividad.

6.1 CADENA DE VALOR

Valor, en el sentido amplio de la palabra, es una denominación que encierra atributos que cualifican un objeto, un ser o un proceso y que, por tanto, los diferencia de otros. El concepto de *cadena de valor* se deriva de ese significado y se refiere a todo aquello que agrega cualidades positivas; es decir, aquello que transforma esencialmente algo para beneficio, satisfacción o bienestar de alguien, quien, además, está dispuesto a pagar por ello, si es necesario y posible.

Aplicar este concepto es clave para la identificación de oportunidades de negocio, pues permite desde lo estratégico darle solidez a una propuesta.

El producto o servicio que recibe el consumidor es el resultado final de articular una serie de procesos, actividades, tareas y materiales. Se espera que cada valor agregado a ese objeto aumente su beneficio o utilidad. Igual expectativa se tiene con cada paso de la cadena del valor, así sean procesos intermedios de transformación para llegar a un usuario final. En la secuencia lógica de procesamiento, un paso siguiente en la cadena del valor equivale a un producto o servicio con mayores atributos o valores añadidos.

De allí el término de *valor agregado*, porque se supone que cada etapa hace que el objeto sea mejor. Por tanto, para seleccionar una oportunidad de negocio es necesario identificar un espacio o eslabón en la cadena que esté mal atendido, es decir, con bajos niveles de valor agregado.

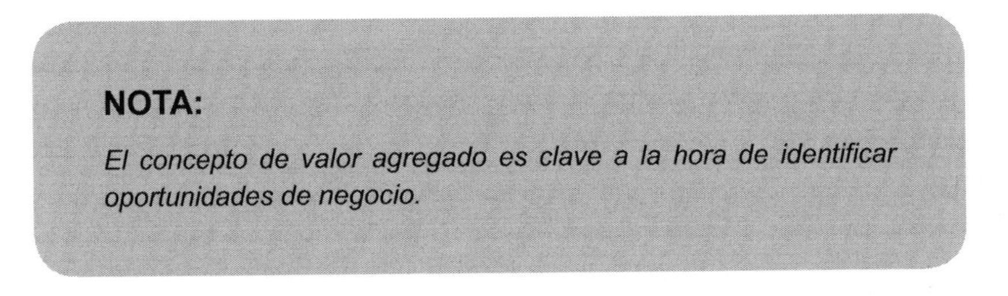
NOTA:

El concepto de valor agregado es clave a la hora de identificar oportunidades de negocio.

Por ello es importante construir la cadena de valor como herramienta de análisis, en la que se detallen las diferentes etapas de configuración, articulación o integración de un producto o servicio, desde la concepción (el origen) hasta la experiencia en el uso. En forma general e integrada, la cadena del valor puede incluir, entre otros, los siguientes procesos: investigación básica, desarrollo de procesos, tecnología, provisión de bienes, servicios, manufactura, marketing y actividades de soporte.

CADENA DE VALOR. ESQUEMA GENERAL

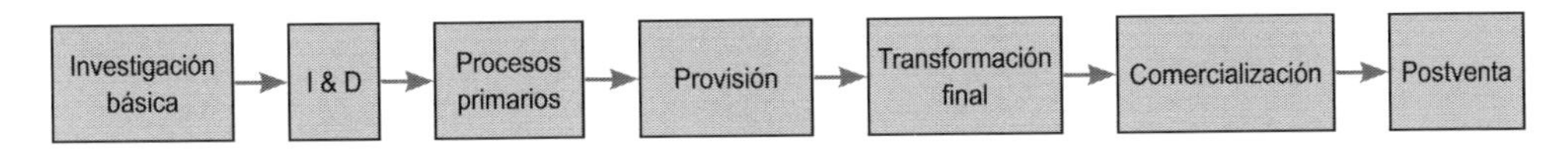

Aunque la cadena del valor se puede representar como en la figura anterior, es necesario indicar que ésa es una forma simplificada. Para aplicarla a negocios concretos y nacientes, es preciso evaluar e investigar de manera pormenorizada las diferentes características que tienen los distintos eslabones.

A continuación se incluye un gráfico que representa el concepto, aplicado al sector de la salud, para ilustrar cómo se aplica un esquema general a un sector específico:

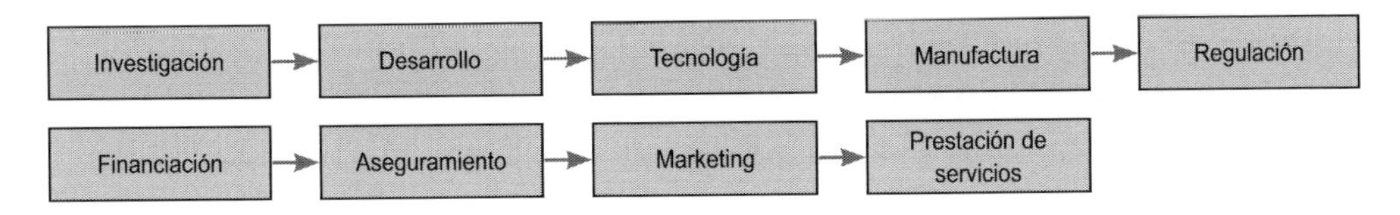

NOTA:

La cadena de valor es la herramienta de análisis de la constitución de un producto o servicio.

HERRAMIENTAS EMPRENDEDORAS

El profesor Josep Valor Sabatier, del IESE, Universidad de Navarra, ilustra con este ejemplo el funcionamiento y engranaje de una cadena de valor aplicada en la distribución de información digital. Como puede observarse, cada eslabón de la cadena, a su turno, puede desglosarse en otros muchos.

En otras palabras, un creador de software jugaría con todos esos elementos para encontrar el producto que encierre mejoras sustanciales. Por ejemplo, se quiere diseñar un programa para registrar el comportamiento de las lluvias en una zona agrícola determinada, para regular los tiempos de siembra y cosecha. El emprendedor deberá considerar, entonces, situaciones, como el tipo de hardware al que tienen acceso los futuros usuarios, los sistemas operativos que manejan, el acceso limitado o ilimitado a Internet, el tipo de navegador que se utiliza, los portales que podrían responder a sus requerimientos..., todo ello para darle vida a un producto que represente satisfacción para el cliente y que no implique complicaciones o deba desecharse porque no se ajusta a las condiciones de la región.

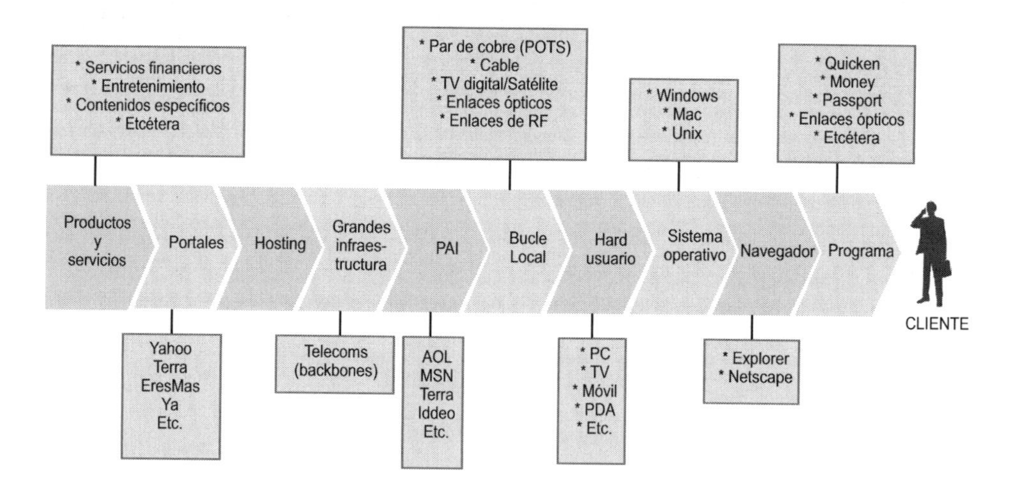

6.1.1 Cadena de valor e identificación de oportunidades

Al hacer un esquema o diagrama de la cadena del valor de un sector específico, es posible hallar oportunidades para crear empresa, ya sea al fabricar nuevos productos, o al implantar servicios o procesos innovadores, que contribuyan a la mejora de la competitividad sectorial.

A continuación aparece una serie de preguntas fundamentales en el análisis específico de cada cadena del valor, según el negocio elegido, de tal forma que mediante su reflexión se detecten eslabones mal servidos o mal atendidos:

6.1.1.1 ¿Cómo funciona la cadena?

Es necesario determinar cuáles son los eslabones más vulnerables del sector. Para efectuar este ejercicio puede imaginarse, por analogía, la fortaleza que podría tener una cadena fabricada en metal, cuya resistencia total depende del calibre del eslabón más delgado. Los eslabones más débiles son aquellos mal servidos o atendidos y son los que muestran una oportunidad para emprender.

6.1.1.2 ¿Cuáles son los procesos esenciales, en términos de costes y de estrategia?

Se deben identificar los negocios que están asociados a aquellos eslabones de la cadena que se vuelven claves en términos de costes, o sea, los que concentran la mayor cantidad de recursos. De igual modo, se evalúan los que son vitales en términos de estrategia, es decir, aquellos sin los cuales el flujo de operación de la cadena se hace menos posible y se dificulta el cumplimiento de finalidades. Por ejemplo, en términos de estrategia, en la industria de las bebidas y gaseosas, es esencial tener control sobre la producción de botellas y la distribución de las bebidas, sin restar la importancia a los demás eslabones. En el negocio de los seguros, por su parte, se vuelve esencial el eslabón de la distribución comercial y el de reaseguros.

6.1.1.3 ¿Cómo actúan los competidores?

Deben determinarse los competidores que controlan diferentes eslabones de la cadena, hacia adelante o hacia atrás de aquel que interesa especialmente al emprendedor.

6.1.1.4 ¿Qué beneficios y grados de satisfacción aporta actualmente cada eslabón al siguiente?

De la identificación de estos niveles, y sobre todo de las carencias, afloran oportunidades para participar en nuevos proyectos de empresas dentro de un sector determinado.

6.1.1.5 Con un nuevo concepto de organización de alto desempeño, ¿qué elementos diferenciadores e innovadores se pueden introducir dentro de la cadena?

Se refiere a los procesos, productos o servicios susceptibles de cambiar que harían que mejorara enfáticamente el nivel de satisfacción y los costes de transacción entre los diferentes actores de la cadena.

HERRAMIENTAS EMPRENDEDORAS

Cuando se analiza una cadena de valor se deben responder cinco preguntas:

1. ¿Cómo funciona la cadena?
2. ¿Cuáles son los procesos determinantes en costos y estrategias?
3. ¿Cómo actúan los competidores?
4. ¿Qué beneficios reporta cada eslabón de la cadena?
5. ¿Qué nuevos elementos se pueden introducir en ella?

6.1.2 Competencias requeridas

Como impensada paradoja, la palabra *competencia* significa oposición o rivalidad, pero también indica aptitud o idoneidad. Entonces puede afirmarse que ser competente equivale a, valga la redundancia, tener las competencias para realizar con éxito un trabajo o actividad. Generalmente la competencia consiste en una mezcla de saberes, destrezas, disposiciones y comportamientos específicos. Si algún ingrediente falta, entonces ya no se es "competente".

Las competencias que se pueden desarrollar e incorporar en cualesquiera eslabones de la cadena, en los que se identifiquen oportunidades de mejora o de innovación de un producto o servicio y que son fuentes para la creación de nueva empresa, tienen relación con:

- Desarrollo e incorporación de tecnología para mejorar la productividad.
- Nuevas concepciones de productos o servicios, mediante rediseño, empleo de nuevos materiales, diseño de nuevas presentaciones, etc.
- Fabricación por cuenta propia o mediante *outsourcing* o subcontratación.
- Mejora de los costes de producción mediante sustitución de componentes, efecto que se refleja en la curva de experiencia de las economías de escala y automatización.
- Decisiones de integración vertical y horizontal de los procesos.
- Decisiones de inversión o desinversión, según el caso, para diversificación.
- Análisis y decisión sobre portafolio de productos.
- Pertinencia de algunos elementos del *marketing mix* -mezcla de mercadeo-, a través de innovaciones en la promoción, la comunicación, la logística y distribución, precio relativo, merchandising, modo de vender, etcétera.
- Servicios posventa y aplicaciones de mercadeo relacional o experimental y del CRM, *Customer Relationship Management* o administración basada en la relación con los clientes.
- Diseño de nuevas fuentes de financiación.
- Análisis estratégico de los márgenes de utilidad, para plantear nuevas proposiciones de valor con beneficios más razonables.
- Efectividad del talento humano y automatización para el control de los costes no discrecionales (entendidos como aquellos asociados a la operación y que, por tanto, dependen de la aptitud y actitud del operador).
- Rediseño total de los procesos de servicio y acceso para el cliente con el mínimo de dificultad.
- Replanteamiento de toda la cadena de suministro.
- Identificación de las opciones de servicios complementarios y de soporte.

VOCES PARA LA ACTITUD EMPRENDEDORA

- Desarrolle el diagrama de la cadena de valor del sector que es de su interés y observe los eslabones en los que es posible realizar mejoras o innovar.

6.2 VENTAJA COMPETITIVA

6.2.1 Control estratégico

Es indudable que si se controlaran todos los eslabones de la cadena, una organización que esté inmersa dentro de ella sería invulnerable. No obstante, eso puede ser utópico, aunque existen algunas opciones interesantes. Entre ellas, por ejemplo, una organización que gestione el control de la cadena podría obtener ventajas competitivas al exigir, a todos los actores que participan en ella, los atributos deseados por sus clientes.

Esa es la situación de una empresa que, al dominar el 30% del mercado, tuviera el control sobre sus proveedores de servicios a través del ejercicio de poder negociador que le otorga su posición sobresaliente en el mercado.

Una organización no necesariamente debe crear otras empresas para controlar la cadena: podría usar la figura de las alianzas estratégicas, *joint-ventures*, o aventuras conjuntas, y franquicias.

6.2.2 Competitividad como factor de decisión

Está muy claro el alcance y la importancia de la competitividad como postulado fundamental para sobrevivir en un mercado desregulado. Es momento, entonces, de establecer los criterios de decisión para permanecer en forma real en la cadena.

Total o parcialmente, las determinaciones se pueden tomar con base en las siguientes etapas, consideraciones y criterios:

6.2.1.1 Etapa 1

Esta tarea permite, mediante el empleo de reglas de decisión, encontrar respuesta a cuáles son los campos en los que la organización debería ser realmente competitiva.

El análisis de valor agregado que se realiza en esta fase debe ir desde el punto de vista más global (estratégico) hasta el nivel de detalle (operacional).

La formulación de las siguientes preguntas posibilita determinar el impacto que éstas tienen en la cadena del valor desde la unidad mayor de proceso, o sea la empresa en sí, hasta el causado por la unidad menor.

Pregunta 1

¿La empresa, el proceso, el producto, el procedimiento, la actividad o una simple tarea es necesaria para satisfacer al cliente?

Si la respuesta es afirmativa, el elemento que se analiza definitivamente agrega valor a la organización, aunque no necesariamente en forma directa, pero sí asociada.

Pregunta 2

¿La empresa, el proceso, el producto, el procedimiento, la actividad o una simple tarea generan beneficio y su ejecución produce un impacto tan positivo que el cliente está dispuesto a pagar por ello?

Si la respuesta es afirmativa, el elemento que se analiza agrega valor al usuario.

Regla de decisión

Todo lo que agregue valor debe estar bajo el control de la organización. Aquello que no lo haga o sea dudoso debe eliminarse, a menos que la falta de valor agregado sea por fallos en la ejecución y requiera una oportunidad de mejora.

6.2.1.1 Etapa 2

Para los procesos, productos, procedimientos, actividades y tareas que superaron el proceso de la etapa[12], se debe formular la siguiente pregunta:

¿La empresa, el proceso, el producto, el procedimiento, la actividad o una simple tarea es más efectiva[1], eficaz y eficiente si se realiza por cuenta propia o por subcontratación?

12 Efectivo se refiere al impacto positivo causado en el usuario; eficaz al grado de satisfacción del usuario y eficiente a la reducción de costos.

Regla de decisión

Si la respuesta se inclina hacia la subcontratación, es conveniente analizar distintas alternativas. Esta opción como mecanismo para crear nuevas empresas se amplía más adelante y se examina la opción de subcontratar como posibilidad de emprender.

HERRAMIENTAS EMPRENDEDORAS

LOS CLUSTERS

Estrategia para mejorar la competitividad regional

Hasta ahora en el curso de este libro se han señalado formas para identificar oportunidades de emprender. Sin embargo, surge una inquietud: cómo hacer para que a partir de esfuerzos individuales se fortalezca la competitividad regional, situación que depende muchas veces del éxito de las micro y pequeñas empresas que surgen en diferentes lugares.

Para esos pequeños negocios, familiares, micro o miniempresas, la opción de trabajar mancomunadamente se convierte en una ventaja competitiva. Esta posibilidad, con miras a los inminentes e inevitables procesos de globalización, debe ser considerada por cualquier emprendedor que aspire no sólo a subsistir sino a triunfar.

Aquí es donde el concepto de *cluster* adquiere vital importancia. Esta expresión inglesa literalmente significa racimo; en el mundo de los negocios se entiende como una agrupación de empresas que se complementan y que están interconectadas para mejorar la competitividad integral de ellas. Estas agrupaciones de empresas no deben confundirse con sectores económicos, gremios, *holding*[2], donde los intereses son diferentes.

El desarrollo del cluster es una decisión estratégica e intencional de un grupo de emprendedores que, para orientarse, utilizan el concepto de cadena del valor.

Se trata de promover la creación de organizaciones que en lugar de competir se complementen; por ejemplo, si un emprendedor quiere crear un hotel en

13 Una organización que controla las actividades de otras mediante la adquisición de todas sus acciones, o de una parte muy significativa de ellas.

HERRAMIENTAS EMPRENDEDORAS *(cont.)*

determinada región, por qué no pensar en que otro grupo de emprendedores desarrolle negocios complementarios como empresas de guías turísticas, de deportes, de entretenimiento y uso del tiempo libre para los visitantes, restaurantes, transporte local, servicios de aerolíneas con vuelos dirigidos y empresas de productos propios de la región, tiendas de artesanías y regalos, entre otros.

La idea para mejorar sustancialmente la competitividad regional consiste en que todos traten de no hacer más de lo mismo. Se trata de proponer negocios, empresas y organizaciones que cooperen en la construcción de una oferta integrada. El ejemplo escogido se extendería a identificar todos los negocios derivados de la creación de un cluster turístico, como formación de personal para ese sector y, en general, todos los productos y servicios requeridos para el control de la cadena del valor correspondiente.

Entre otras ventajas, al promover clusters regionales se construyen redes de cooperación, se emplazan todas las industrias, organizaciones o negocios que lo componen hacia la búsqueda de la productividad e innovación, y son los emprendedores privados los líderes de ese desarrollo; el Gobierno es un participante más que puede cooperar con algunos temas de infraestructura regional.

Por eso se resalta que un cluster no es un territorio físico, no es una sociedad por acciones que agrupa diversidad de negocios, ni es un gremio; es, más bien, un conglomerado de empresas con estructuras de propiedad independientes, que están integradas y articuladas en un concepto de desarrollo y competitividad.

Para citar un ejemplo de lo que es posible lograr, vale la pena mencionar uno de los clusters creados en Colombia, el *Cluster Textil / Confección, Diseño y Moda*[3] que "se define como la concentración geográfica regional en Medellín y Antioquia de empresas e instituciones especializadas y complementarias en la actividad de confección de ropa interior y vestidos de baño, ropa infantil y de bebé, y ropa de sport; las cuales interactúan entre sí, creando un clima de negocios en que todos pueden mejorar su desempeño, competitividad y rentabilidad..."

El tejido empresarial que se ubica en este *Cluster* alcanzó en el año 2005, las 10.625 empresas, con activos totales por valor de US$ 1.919 millones de dólares. Respecto al tamaño, el 90,3% son micro, el 7,6% pequeñas, 1,7% medianas y sólo el 0,5% son grandes empresas.

VOCES PARA LA ACTITUD EMPRENDEDORA

- En la cadena del valor para la oportunidad de negocio de su preferencia, identifique tres ventajas estratégicas y dos riesgos de vulnerabilidad, según los conceptos explicados.

Capítulo 7

EXPLORAR UN SECTOR EMPRESARIAL

El análisis de las distintas fuerzas que componen un sector de negocio determinado permite identificar espacios en los que hay necesidades insatisfechas. De allí surgen ideas para la creación de nuevas empresas.

Esta evaluación indica que siempre se podrá hacer algo mejor. Entonces, mediante la aplicación de algunas formas de innovación, se pueden generar ideas de empresa.

La esencia del modelo para desarticular un sector empresarial consiste en relacionar una actividad específica con su medio ambiente. En un sector inciden cuatro elementos externos, a saber[14]:

- Posibles competidores.
- Proveedores.
- Clientes.
- Productos sustitutos.

Como estas fuerzas son comunes a todo tipo de negocio, el análisis consiste en desagregar los componentes de cada una de ellas para establecer las debilidades competitivas susceptibles de remediar con la creación de un nuevo negocio.

14 PORTER, Michael. *Estrategia competitiva. Técnicas para el análisis de los sectores industriales y de la competencia.*

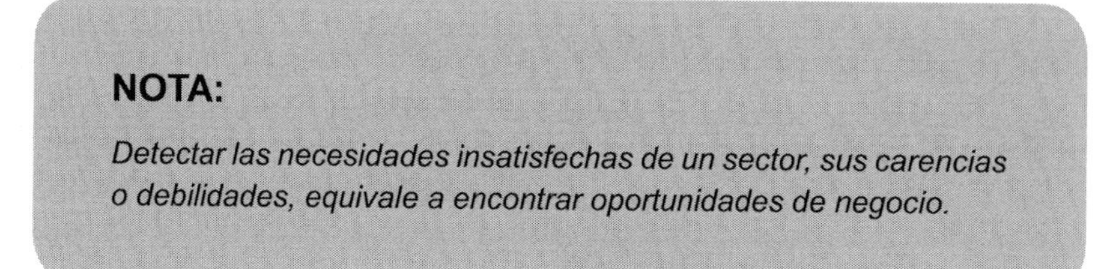

NOTA:

Detectar las necesidades insatisfechas de un sector, sus carencias o debilidades, equivale a encontrar oportunidades de negocio.

7.1 ANÁLISIS DE COMPETIDORES

Si alguien piensa en ingresar a una actividad industrial o comercial, muchos otros emprendedores potenciales pueden estar intentando hacer lo mismo, por lo que se hace necesario examinar los posibles obstáculos comunes y detectar los sectores con muy débiles barreras de entrada. Este último fenómeno no hace atractivo el mercado que lo posea, por el peligro de la masificación empresarial.

Las principales barreras de entrada a una actividad empresarial son:

7.1.1 Economías de escala

Se refiere a las reducciones en los costes unitarios a medida que aumenta el volumen de unidades elaboradas. En consecuencia, si se trata de algún negocio en donde se produce a gran escala, ese factor actúa como barrera de ingreso para posibles empresarios potenciales. Se debe dimensionar si existe una producción alta que pueda implicar problemas de mercado, pues entrar con un modelo a escala baja no sería competitivo por costes.

7.1.2 Diferenciación de producto

Significa que las empresas establecidas tienen identificación de marcas y lealtad de los clientes, lo cual implica para el entrante grandes gastos para romper la fidelidad. Ésta es la barrera de ingreso más importante en los productos de consumo personal.

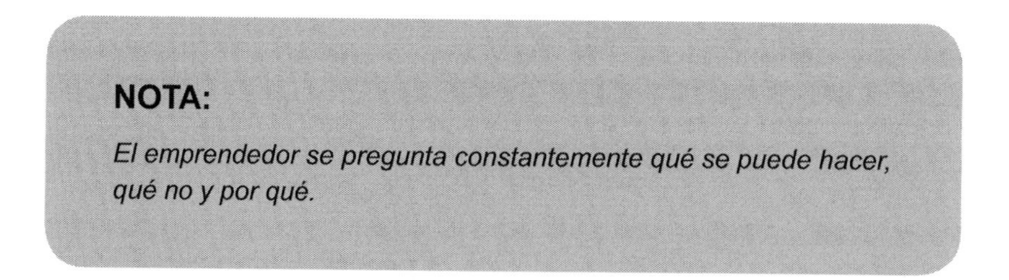

NOTA:

El emprendedor se pregunta constantemente qué se puede hacer, qué no y por qué.

7.1.3 Requisitos de capital

Hay ciertos negocios que por su tamaño, al abordarse, requieren una fuerte inversión, ya sea para activos fijos, capital de trabajo, etc. Hay que examinar en detalle para determinar las necesidades de capital resultantes del sistema de operación particular de cada sector. Por ejemplo, cartera, sistema de pagos, proveedores, equipo, tecnologías, procedencia de materia prima, etc.

7.1.4 Acceso a canales de distribución

Se puede crear una barrera para nuevos empresarios al asegurar la distribución de los productos existentes mediante ventajas otorgadas a los clientes.

7.2 ANÁLISIS DE LOS PROVEEDORES

Del análisis de los suministradores de materias primas para un sector determinado pueden surgir fuentes de ideas de negocio.

Es indispensable establecer el poder de negociación que tienen los proveedores para encontrar la estructura de mercado que los agrupa: monopolios, oligopolios, etc. Para observar este aspecto, se deben examinar interrogantes como los siguientes:

- ¿Cómo está dominado el sector de proveedores?
- ¿Existen sustitutos para las materias primas?
- ¿Lo que venden los proveedores es un producto importante para el negocio?
- ¿El proveedor representa una amenaza de integración hacia el futuro?

Tal como se ha señalado, la mentalidad empresarial implica preguntarse permanentemente qué se puede hacer, qué no se puede y por qué.

7.3 ANÁLISIS DE CLIENTES

En determinado tipo de negocio los compradores se comportan como un grupo importante y con poder, lo que muchas veces influye en la baja de los precios. Para identificar oportunidades al analizar este grupo, es importante reflexionar sobre los siguientes aspectos:

- ¿Los clientes compran en grandes volúmenes?
- ¿Los clientes son pocos o muchos?
- ¿Cuál es la ubicación geográfica de los clientes?
- ¿Qué despierta la sensibilidad de los clientes? ¿Los precios, el producto, el envase, la marca, el soporte publicitario y promocional, el servicio posventa?
- ¿Los clientes son una amenaza de integración hacia atrás?

7.4 ANÁLISIS DE PRODUCTOS SUSTITUTOS

Todos los negocios reciben una competencia real de productos que físicamente son completamente distintos. Lo fundamental para detectar los sustitutos es examinar los productos y los servicios por su función. Muchos negocios han fracasado por una errónea definición de los productos y de los mercados hacia los cuales está diseñado el producto. Por ejemplo, la industria de los cosméticos no define su negocio como la venta de pintalabios, sombras para ojos, cremas correctoras, etc.; ofrece unos valores relacionados con la esperanza de mantener una juventud perenne; la industria cinematográfica en principio se equivocó al creer que su asunto era producir películas en vez de ofrecer diversión y esparcimiento.

Debe esclarecerse la mejor función de cada producto o servicio, a fin de determinar qué necesidad satisface, según la concepción inicial.

Los productos sustitutos identificados que deben ser examinados con más detalles son aquellos que mejoran el desempeño ofrecido frente a lo existente. Para ello es fundamental desprenderse del viejo dogma de examinar una actividad empresarial desde la óptica de la producción. Todo intento de proyectar un negocio debe hacerse desde el horizonte más amplio posible.

NOTA:

El emprendedor debe tener muy claro cuál es el deseo que realmente colma su producto y no limitarse a observar su más elemental utilidad.

GRANDES RETOS, GRANDES EMPRENDEDORES

Los ferrocarriles fueron durante muchos años la industria americana más próspera y con enorme poder político; sin embargo, muchos de ellos siguen funcionando solamente porque están subvencionados por el Gobierno Federal. ¿Qué ocurrió? ¿Acaso desapareció la necesidad que satisfacía el ferrocarril? Evidentemente no. La necesidad de transportar mercancías se ha incrementado enormemente, pero no sólo la satisface el ferrocarril; también lo hacen, y en mayor medida, otros medios de transporte.

La industria del ferrocarril tuvo una estrategia miope, definió mal su negocio. Creyó exclusivamente en el ferrocarril y dejó pasar enormes posibilidades de crecimiento que hubiese podido encontrar en el transporte en autobuses, camiones, etc. No le faltaba poder financiero ni político, simplemente su horizonte de búsqueda se limitó al ferrocarril.

En el caso del papel carbón, igualmente cabría la pregunta. Si los fabricantes de papel carbón llevaban mucho tiempo en el negocio de la duplicación, ¿por qué no desarrollaron la fotocopiadora u otras formas contemporáneas de reproducción de originales?

Theodore Levitt, en su artículo *Marketing miopía* [2], señala que los tres errores más comunes que pueden conducir a una empresa a definir una estrategia miope, con un horizonte de búsqueda estrecha, son:

- Creer que el crecimiento de la empresa está asegurado por la existencia de una población más rica y más numerosa.
- Creer que no pueden surgir productos que lleguen a competir o a sustituir al existente (creer que nada puede ocurrir que desplace el papel carbón).
- Tener fe ciega en que la producción masiva abaratará los costes, lo que conducirá a fuertes aumentos en la demanda.

7.5 NECESIDADES GENÉRICAS Y COMPORTAMIENTO DEL CONSUMIDOR

La identificación de las necesidades antes de elaborar el producto u ofrecer el servicio es un asunto clave en la solidez de la nueva empresa. Esta situación se resuelve mediante la comprensión de las aspiraciones del consumidor y la conducta de las personas que tienden a satisfacer esas necesidades.

Los seres humanos experimentamos cinco necesidades básicas:

1. Físicas.
2. De seguridad.
3. De pertenencia.
4. De aprecio.
5. De realización personal.

NOTA:

Como los individuos ponderan en forma diferente los atributos del producto, para un mismo objeto o servicio puede haber varios segmentos de mercado.
El consumidor no busca productos; demanda una serie de atributos que colmen sus carencias.

La forma como se satisfacen estas necesidades depende de cada consumidor y su entorno. Este último demarcado por la cultura, la religión, la educación, la edad, los valores personales y los estilos de vida. Las necesidades humanas, así analizadas, se convierten en los beneficios buscados por los consumidores.

Los consumidores no compran productos, adquieren una serie de atributos que satisfacen sus necesidades. Aunque las personas puedan acceder al mismo producto genérico, los segmentos de consumidores compran numerosas marcas, pues ponderan sus necesidades de manera diferente. Por ejemplo, la crema dental: los padres pueden decidir comprar una marca que tenga algún atributo para prevenir la caries; si el cliente es un joven, podría optar por la marca que tenga enjuague bucal incorporado. Esta situación le señala al futuro empresario que aun para un mismo producto surgen diversos segmentos de mercado.

La tipificación de las necesidades y los medios ideados para satisfacerlas constituyen las bases para la identificación de nuevos negocios. Para comprender la conducta del consumidor, todo empresario debe responder interrogantes como:

- Quién
- Qué
- Dónde
- Cuándo
- Cómo
- Por qué

En forma ampliada debe preguntarse quién compra el producto, lo que determina el perfil demográfico del consumidor (edad, ocupación, estado civil, composición familiar, etc.). Este perfil debe señalar un actor que generalmente no es tenido en cuenta, pues quien toma la decisión de compra y quien consume el producto no es siempre la misma persona. Este aspecto es fundamental para definir las estrategias promocionales. Por ejemplo, los alimentos industriales para el consumo infantil deben tener un enfoque hacia el comprador (los padres), aunque los consumidores sean los niños.

NOTA:

A la hora de idear un producto se debe considerar que muchas veces la decisión de compra y el consumo del producto no recaen sobre la misma persona.

¿Por qué la gente compra el producto?

La respuesta a esta pregunta explica la motivación del consumidor para comprar y está relacionada con las variables psicológicas de las personas, determinantes de los comportamientos afectuosos, amistosos, valientes, dominantes, alegres, inteligentes, reservados, etc. Esta categorización es muy útil para desarrollar los mensajes publicitarios.

Las variables de estilos de compra señalan las formas de adquirir de la gente y establecen categorías para ello, tales como: leal a la marca, cauteloso, conformista, ecologista, ahorrativo, impulsivo, persuasible, planificador, etc.

¿Dónde compran las personas?

La respuesta a este interrogante debe permitir el conocimiento de los sitios que visitan los compradores con más frecuencia, para ponderar los canales más efectivos.

¿Cuándo compran las personas?

Este aspecto se puede determinar mediante las tasas de uso de los productos. Se ha observado que el 80% de las ventas de un producto provienen del 20% de los clientes, por lo que es importante examinar los perfiles de los grandes usuarios. El análisis de la tasa de uso determina cada cuánto y en qué cantidad los consumidores demandan el producto analizado.

El análisis de un mercado de consumidores se inicia con el examen de la demanda genérica, y la medición de esa demanda se establece al multiplicar el número de personas que tienen la necesidad por la tasa de uso. Si se tratara de medir la demanda genérica, por ejemplo, de la leche sin lactosa, se multiplicaría el número de personas que consumen este tipo de alimento como bebida, por la tasa de uso de un período. Todo el análisis del comportamiento de los consumidores permitirá segmentar mercados y dividirlos en submercados más homogéneos, que faciliten el desarrollo de estrategias, teniendo en cuenta que entre más pequeño sea el segmento, más similares serán las necesidades.

La búsqueda del producto por parte del consumidor se hace mediante información que recibe por su propia gestión (amigos, empleados de tiendas, etc.), o por información suministrada a través de mensajes publicitarios.

7.6 CAMBIOS SOCIOCULTURALES Y OPORTUNIDADES

Por las nuevas tendencias de la sociedad, se presentan necesidades por satisfacer como fundamento esencial para la creación de empresas. Es vital entonces desarrollar el hábito de observar y percibir lo que acontece en el entorno para la identificación de nuevas oportunidades. Se señala que el solo registro de los cambios no conduce a estructurar una oportunidad, si a ella no se le introduce un componente innovador. De otra manera, ¿qué hace diferente y sostenible la propuesta frente a lo existente?

A continuación se detallan algunas tendencias de la sociedad que sugieren elementos innovadores para satisfacer necesidades.

NOTA:

Es preciso desarrollar el hábito de observar y percibir lo que sucede en el entorno para identificar nuevas oportunidades.

7.6.1 Mejora en el ingreso familiar

El proceso de movilidad social de las personas, la educación y el desarrollo de competencias laborales generalmente se asocian con nuevos ingresos de las familias. Este cambio se matiza en el aumento de la capacidad de compra.

De igual modo, la incorporación de miembros del núcleo familiar a la vida productiva genera nuevas demandas y búsqueda de bienestar, evidentes en economías en expansión. Aun en los países con altas tasas de desempleo, el aumento de trabajadores por familia contribuye a mantener niveles de consumo en bienes y servicios que satisfacen necesidades esenciales, lo que se convierte en oportunidades empresariales.

Enseguida se listan algunas opciones para crear empresas:

- Actividades relacionadas con la salud:
  - Medicina privada.
  - Centros de gimnasia y deportes.
  - Productos dietéticos y saludables.
  - Clínicas de cirugía estética.
  - Centros de belleza, entre otros.
- Productos y servicios para la mejora de la calidad de vida:
  - Aire acondicionado.
  - Electrodomésticos.
  - Vehículos.
  - Hogar.
  - Clubes sociales.
  - Colegios con propuestas especiales.
  - Televisión por cable.
  - Portales de Internet con temas de actualidad y entretenimiento.
  - Zonas rurales para la recreación y producción en pequeña escala.
  - Turismo programado, etc.
- Espacios educativos:
  - Formación en nuevas tecnologías.
  - Idiomas y culturas.
  - Desarrollo de competencias laborales y para el uso del tiempo libre.
  - Venta de material didáctico por suscripción.
  - Educación virtual, modelos *e-learning* de formación flexible.
- Entretenimiento y uso del tiempo libre:
  - Opciones para la recreación.
  - Deportes: centros y tiendas especializados.
  - Centro de desarrollo de creatividad.
  - Espectáculos.
  - Viajes y turismo.
  - Actividades lúdicas.
  - Clubes sociales.

- Mayor esperanza de vida y hábitos saludables:
  - Servicios médicos especializados para ancianos: geriatría.
  - Servicios de medicina preventiva.
  - Actividades para el uso del tiempo libre del adulto.
  - Productos y servicios especialmente diseñados para el adulto.
  - Alimentos naturales para personas con requerimientos nutricionales especiales (diabéticos, hipertensos, obesos).

- Necesidades de seguridad:
  - Nuevas tecnologías para monitoreo y control.
  - Puertas de seguridad.
  - Coches blindados.
  - Personal de vigilancia de aparcamientos, edificios, empresas y centros comerciales.
  - Asesoría en seguridad personal y empresarial.
  - Nuevas modalidades de seguros.
  - Uso de escoltas y guardias de uso personal.
  - Programas para protección de información empresarial.

- Mercado de trabajo:
  - Centros de formación para el desarrollo de la actitud emprendedora.
  - Centros de formación en competencias laborales.
  - Desarrollo de proyectos de *outsourcing* o subcontratación.
  - Empresas asociativas para cubrir necesidades laborales.

- Prevención del calentamiento global y sostenibilidad ambiental:
  - Productos y servicios derivados de fuentes alternas de energía, como solar, térmica, eólica.
  - Métodos y productos para la reducción del consumo energético.
  - Procedimientos para el tratamiento de aguas.
  - Tecnologías para la conservación de fuentes naturales.
  - Productos y servicios para la producción limpia.
  - Envases biodegradables.
  - Disposición y reutilización de residuos.
  - Producción de biocombustibles.

Capítulo 8

ALTERNATIVAS PARA INICIAR UN NEGOCIO

Identificada la idea de negocio, es fundamental evaluar las distintas opciones que se presentan para la puesta en marcha de la nueva empresa. Genéricamente existen cuatro formas[15].

8.1 ADQUIRIR UN NEGOCIO EN FUNCIONAMIENTO

En primera instancia pareciera que la alternativa de adquirir un negocio en funcionamiento no es precisamente una buena idea, por el supuesto de que nadie está dispuesto a vender un negocio próspero y sólo se pone a la venta aquello sin perspectiva.

Esta apreciación no siempre es válida, porque existen negocios buenos que atraviesan una crisis por deficiencias en la gestión. Más de la mitad de las causas de fracaso en las empresas se debe a una inadecuada administración y/o a una deficiente comercialización, que provoca bajas ventas y lleva a la empresa a situaciones de falta de liquidez que la colocan al borde de la crisis. Ésa es la oportunidad para adquirir un negocio en funcionamiento a un precio razonable, pues al incrementar la exploración de la actividad de la empresa,

15 KENNETH, Albert. *Cómo iniciar su propio negocio.*

mediante la incorporación de tecnología administrativa, es factible esperar resultados exitosos.

No debe descartarse la posibilidad de adquirir un negocio en plena operación y éxito, pero hay que tener en cuenta que la valoración de sus activos es alta, y el precio de venta para el nuevo empresario puede elevarse, porque es viable tasar los beneficios futuros que generará el negocio.

Una fuente de negocios en operación que pueden ser adquiridos se encuentra en las empresas de naturaleza familiar, es decir, aquéllas cuya propiedad accionaria está en manos de una o varias familias, en las que lazos afectivos se entremezclan con los negocios y la dirección está a cargo de uno o varios miembros de la familia, quienes, en algún momento, por un proceso de sucesión gerencial y patrimonial, entregarán la administración a la generación siguiente. Esta mezcla típica de afectos y negocios plantea un reto de supervivencia: la continuidad.

En este sentido, en las empresas de tipo familiar acontecen tres tipos de situaciones:

1. Los socios gestores toman la decisión de elaborar un plan de sucesión con todas sus particularidades. En este caso, es casi improbable que el negocio sea vendido, puesto que forma parte de los proyectos de vida de los miembros de las familias.

2. Ante la imposibilidad de encontrar en la generación siguiente una persona con el perfil requerido para asumir el mando de la organización, los gestores deciden utilizar la figura de la cesión, a través de la incorporación a los cuadros directivos de profesionales ajenos a la familia, orientados y controlados a través de esquemas de gobierno corporativo, como juntas directivas y consejos de familia. Esta opción, en el caso de que la profesionalidad de la dirección sea incapaz de separar los aspectos emocionales de los negocios, podría ser un motivo para pensar en una venta del negocio, máxime que al separar de la administración a los familiares, a lo mejor se emprenden proyectos de empresa individuales que desean liquidez para fortalecer las nuevas creaciones.

3. Cuando los gestores de empresas de familia no han visualizado la problemática de asegurar la continuidad, una opción es la venta del negocio, lo cual es una importante alternativa para un nuevo emprendedor.

8.1.1 Ventajas

La adquisición de un negocio en funcionamiento tiene las siguientes ventajas:

- **Se capitaliza el aprendizaje y la experiencia** que se ha acumulado desde el comienzo del negocio. Más adelante en este texto se trata el concepto de curva de experiencia, un criterio científico que apoya esta ventaja.

- **Se gana una cuota de mercado al momento.** Bien o mal gestionado todo negocio tiene clientes estables, lo cual facilita la entrada al sector de la empresa que se compra.

- **Se han probado comercialmente los productos.** A la luz de los resultados en ventas, se puede percibir el comportamiento del consumidor frente al bien.

8.1.2 Desventajas

Las dificultades que presenta la alternativa de adquisición de un negocio en funcionamiento pueden ser minimizadas de acuerdo con la capacidad de negociación que se tenga en la compra, por ejemplo, examinar situaciones de acreditación comercial y sobrevaloración de los activos (inventarios, cuentas por cobrar, equipos, instalaciones, etc.), entre otras.

8.1.3 Tipos de adquisición

La búsqueda y la concreción de oportunidades para adquirir un negocio en funcionamiento puede hacerse alrededor de las siguientes alternativas:

- **Venta inducida.** Proponerle a un empresario la compra del negocio que se ha examinado como factible, por poseer las características que se ajustan al perfil del nuevo emprendedor. La venta inducida podría motivar la cesión de algún empresario que quiera abandonar la actividad por razones económicas, familiares, psicológicas o provenientes del entorno.

- **Bases de datos de entidades financieras.** Al indagar en las entidades financieras por empresas en dificultades —moratorias, acuerdos de acreedores o reestructuración financiera—, es posible intervenir para comprar pasivos y/o inyectarle capital a una empresa que, de lo contrario, debería ser liquidada. Es probable que para un banco sea mejor alternativa encontrar un nuevo emprendedor que propiciar la liquidación de un negocio.

- **Consulta a banqueros de inversión.** Quienes trabajan en el campo de la banca de inversión pueden tener conocimiento de algunas opciones empresariales que se estén vendiendo, que estén en proceso de liquidación o que requieran inversionistas de capital de riesgo.

- **Anuncios en periódicos y revistas.** Un nuevo emprendedor podría anunciar en medios de comunicación su interés por adquirir negocios en operación. Debe especificar el tipo de empresa requerido. Igualmente en los anuncios de publicaciones periódicas se pueden encontrar ofertas de negocios.

8.2 FRANQUICIAS: UNA ALTERNATIVA

Las franquicias son una opción de creación de negocios para nuevos emprendedores y una interesante alternativa de expansión para negocios ya existentes.

Sus ventajas son múltiples tanto para los concesionarios como para los franquiciados.

8.2.1 Concepto

La franquicia es una modalidad de negocio que se realiza mediante un acuerdo comercial y financiero entre dos empresas: un concesionario que mediante contrato cede sus derechos para que la otra, la franquiciada, utilice y explote su formato de negocios, a cambio del pago de regalías.

Desde la óptica de emprender, se puede trabajar con franquicias desde tres perspectivas diferentes:

- Recibir un negocio para la explotación.
- Reconvertir a franquicia un negocio de formato convencional.
- Ejercer como representante comercial de franquicias ya existentes.

NOTA:

La franquicia es buena opción para un nuevo empresario: comienza con un negocio ya probado, utiliza una imagen reconocida y recibe apoyo corporativo.

8.2.2 Importancia estratégica

Cuando un emprendedor ha tenido éxito con un determinado modelo de negocios y desea hacer expansión a nuevas áreas geográficas, requiere recursos económicos importantes y desarrollar un esquema de gestión que le permita controlar la operación de las nuevas sucursales. En este caso, podría crecer si aborda el camino de ser concesionario de franquicia.

Para quien ya está establecido con éxito es más rentable recibir regalías mensuales sobre las ventas brutas, por permitir el uso del conocimiento que posee de su negocio que invertir en la apertura de cada nuevo punto.

Entonces, el empresario exitoso debe documentar su formato de negocio y buscar emprendedores, sus franquiciados, para que desarrollen las potenciales sucursales. Es claro que así se facilita la decisión expansiva, por llevar al mínimo las necesidades de capital requeridas para el montaje y el diseño de nuevos esquemas de gestión, operativos y de control, que precisan las empresas en expansión. Esto último sería responsabilidad del franquiciado.

De otra parte, para quien desee iniciarse como empresario, la modalidad de franquicia es muy interesante: empieza con un negocio ya probado, utiliza la imagen extendida de la franquicia y recibe el apoyo corporativo del concesionario.

Además, detrás del formato de negocio que contrata, está el capital relacional. Es importante reflexionar sobre cuánto vale la experiencia del concesionario que traspasó el conocimiento del mercado, la base de clientes y de proveedores y la valoración del capital humano, es decir, cuánto vale el talento que tienen los empleados de la casa matriz que brindan su propio saber y lo transmiten permanentemente al franquiciado, vía investigación y desarrollo de nuevos procesos.

NOTA:

Es más rentable recibir regalías mensuales sobre ventas brutas que invertir en la apertura de un nuevo punto de atención al público.

8.2.3 El formato de negocio

Para entender este concepto, es preciso reconocer que detrás de un negocio próspero está el conocimiento, explícito o tácito, que sobre él poseen sus gestores y administradores.

El conocimiento explícito es el documentado en los manuales de operación de la empresa; el tácito es el que está en la memoria del emprendedor gestor y de sus colaboradores. Se denomina tácito porque, aunque es clave en el éxito del negocio, no aparece en documento alguno. Este tipo de conocimiento tiene una alta dosis de arte y se deriva de la acumulación de experiencia, innovaciones y creatividad de los emprendedores que gestionan el negocio. Ahora, cabe preguntarse qué hubiera pasado con *McDonald's*, *Baskin Robins*, *Berlitz*, *Sir Speedy Inc*. y con mil negocios más con presencia global si ese saber no se hace explícito.

Por supuesto, un negocio tendrá la limitación para crecer si depende exclusivamente de los conocimientos incubados en las mentes de sus ideólogos y ejecutores. Por tener este comportamiento empresarial, las PYME generalmente sufren más las limitaciones de crecimiento y rentabilizan menos la experiencia que acumulan; entonces, por qué no materializar el conocimiento tácito y hacer un negocio de ello. No obstante, es importante proteger jurídicamente ese saber.

Establecido lo anterior, el formato de negocio se define como la integración de los conocimientos tácito y explícito que se plasma mediante la construcción de un paquete de características documentadas, que le permiten al nuevo emprendedor replicar exactamente el negocio que le produjo el éxito de su gestor.

A partir de estos documentos, el concesionario se compromete a desarrollar y entrenar al franquiciado a fin de que exista una transferencia idéntica de las especificaciones del éxito del negocio, y poder aprovechar la sinergia que de esto se deriva.

En general, en los negocios, sean ellos comerciales, industriales o de servicios, los elementos que constituyen su formato de negocios son todas las descripciones que permiten el montaje y la operación de una réplica de los mismos. Entre esos elementos se pueden mencionar:

Tecnología de producto y proceso de manufactura[16].

Éste es el corazón del negocio. En el conocimiento que se imparta sobre el tema se debe explicitar cómo se hace el producto o servicio con todas sus especificaciones y detalles de fabricación.

16 Se refiere al "saber hacer" de la empresa que los clientes reconocen. En el mundo del comercio internacional se denomina *know-how*.

Equipamiento básico

Sobre este punto se debe especificar qué tipo de maquinaria y equipo se utiliza, con los detalles de su operación específica.

Diseño de espacios

Físicamente cómo es y cómo debe ser la planta de la empresa.

Diseño de mobiliario e imagen externa

Para las áreas de servicio al público, se detallan los diseños que proyecten una imagen institucional uniforme.

Procesos de gestión

En la descripción de cada uno de los procesos de gerencia que a continuación se mencionan, se deben incluir el enfoque que se espera que se le dé, la forma de implantarlo y los resultados esperados en las áreas respectivas:

- Gestión estratégica.
- Gestión financiera y contable.
- Gestión de tecnología.
- Gestión del software suministrado.
- Gestión humana.
- Gestión jurídica y legal.
- Gestión de producción.
- Gestión de compras e inventarios.
- Gestión de mercadeo.

En cuanto a la última, debe indicarse la concepción estratégica y táctica relativa a:

- Envase.
- Marca.
- Precios.
- Promoción.
- Publicidad e imagen corporativa.
- Marketing.
- Distribución comercial.
- Distribución física.

8.2.4 ¿Cómo se retribuye la franquicia?

La franquicia se paga mediante derechos y regalías, que pueden ser:

a. **Derechos:** algunos concesionarios cobran una suma de entrada para ceder el derecho de usar el formato de negocios. Esta suma es relativa al prestigio de la franquicia.

b. **Regalías de operación:** se refieren a los derechos que debe pagar el franquiciado en razón al uso del formato de negocio recibido, más el soporte, la formación y entrenamiento otorgado por el concesionario. Oscilan entre el 1 y el 12% sobre las ventas brutas, según el posicionamiento de la casa matriz.

c. **Regalías para publicidad:** éstas corresponden a la contribución que hace el franquiciado para diseñar y ejecutar un plan de publicidad corporativa en medios de comunicación de amplia cobertura, que conserven la unidad de imagen en todos los negocios. Este aspecto lo maneja el propietario de la franquicia, que cobra en promedio del 3% al 5% de las ventas brutas para el efecto.

8.2.5 Ventajas

Para el franquiciado

- Rápida adquisición de experiencia en el negocio
- Soporte técnico y comercial permanente
- Acceso a un mercado potencial
- Independencia
- Rápido crecimiento

Para el concesionario

- Posibilidad de crecimiento
- Diversificación del riesgo
- Mantenimiento de una misma imagen comercial
- No se generan relaciones laborales

GRANDES RETOS, GRANDES EMPRENDEDORES

(*) En 1980, una pareja de jóvenes universitarios abrió en Bogotá el primer punto de venta de la que actualmente es una de las empresas colombianas más reconocidas y que cuenta con un buen número de franquiciados en distintos países de América y ahora en Europa.

Efectivamente, en la carrera 11 con calle 85 de la capital colombiana, el par de estudiantes inauguraron la pequeña crepería, decorada al estilo rústico francés, con una barra en madera y un ambiente informal. Estos emprendedores no tenían experiencia, pero según cuentan, contaban con fe en ellos mismos y en la gente.

Crepes & Waffles ofrecía un menú sencillo y atractivo, presentado en una tabla con diseño en madera, en la que aparecían las diferentes variedades de crepés, rellenos de deliciosas salsas y exquisitos waffles crocantes cubiertos con salsas de dulce.

Con el paso del tiempo, las recetas mejoraron y aumentó la diversidad de platos; del mismo modo, la clientela creció día tras día.

Dos años más tarde, Beatriz Fernández y Eduardo Macías inauguraron un nuevo local en el Centro Internacional, el cual se convirtió en el lugar de los ejecutivos. Atrás quedó la barra en madera y la cartelera de especialidades. Ahora C&W poseía mesas individuales, carta y atención especializadas, gracias a un gran esfuerzo en la formación de todo el personal.

Han pasado 27 años. Entre las políticas de la empresa está otorgar franquicias, con un requisito indispensable: la filosofía de la empresa y su especial manejo del recurso humano deben caracterizar igualmente a los franquiciados. En la actualidad C&W tiene en Colombia 24 restaurantes y cinco heladerías en Bogotá, y 20 puntos más en el resto del país, con presencia en Medellín, Cali, Barranquilla, Cartagena y Pereira. En el ámbito internacional estableció franquicias en Ecuador, Perú, Panamá, Venezuela, México y España.

(*) http://www.elcolombiano.com/elcolombianoejemplar/premio2003/ganadores/crepesinstitucion.htm.
http://www.hi-cue.com/?&est=009&conf=259
http://gastronomia.blog.com/269721/?page=2

8.2.6 Criterios para convertir el negocio en franquicia

Algunos negocios se prestan más para el esquema de franquicia que otros. Se pueden establecer unas características que debe tener la empresa para convertirla en una operación de franquicias.

Las pautas expuestas a continuación no son una lista de chequeo, son criterios, es decir, puntos de referencia para evaluar la pertinencia estratégica de convertirse en franquicia. Esos criterios son:

- Negocios que requieren rápida expansión, con necesidades financieras razonables.
- Negocios que generen volúmenes importantes de ventas, a través de pequeñas unidades de negocio y alta rotación de inventario.
- Negocios que denoten un elevado sentido de la identidad e imagen corporativa.
- Negocios que precisan énfasis en el servicio al cliente.
- Negocios que son posibles de estandarizar en su proceso productivo u operativo.
- Negocios que satisfacen necesidades globales.

El impacto de cada particularidad es diferente en cada negocio. Lo interesante es observar cuál le proporciona mayor sostenibilidad a los objetivos estratégicos de cada emprendedor.

Los negocios más viables de explotar como franquicia son aquellos que pertenecen a alguna de las siguientes categorías:

- Servicios asociados a vehículos
- Servicios asociados a cuidados de la salud
- Servicios de estética
- Manufactura de alimentos y bebidas
- Servicios educativos
- Servicios financieros
- Informática y software
- Servicios de construcción, restauración y decoración
- Servicios de entretenimiento y uso del tiempo libre
- Servicios hoteleros
- Servicios asociados a las artes gráficas
- Servicios de mantenimiento, aseo y limpieza
- Manufactura de prendas de vestir
- Restaurantes
- Servicios de seguridad
- Servicios empresariales: consultoría y servicios financieros

- Telecomunicaciones
- Ventas al por menor
- Servicios de Internet

La franquicia será posible si los productos o servicios se encuentran probados, desarrollados, estandarizados y responden a las expectativas del mercado.

8.3 COMENZAR DESDE CERO

Cuando se desea iniciar un negocio propio, comenzar de cero es la alternativa que más riesgo representa desde el punto de vista comercial y financiero. Sin embargo, también es la que genera más satisfacción para el empresario, si se desarrolla con éxito.

Hay negocios en los cuales sólo es posible comenzar desde cero, sobre todo en aquellos relacionados con temas innovadores y empresarios inventores.

Un naciente producto y/o servicio normalmente debe iniciarse como nuevo negocio, a menos que se pueda hacer mediante la reconversión de una empresa puesta ya en marcha. Esta opción es viable cuando no se cuenta con capital suficiente, ya que el tamaño del negocio puede adecuarse a la disponibilidad financiera.

El mayor riesgo de esta alternativa es tratar de comercializar una idea que aún no se ha probado.

Si se apunta a un negocio exitoso, es necesario diluir la amenaza de nuevos competidores y para ello implantar estrategias para tales, como:

- Diferenciación de productos
- Precios bajos
- Tecnología de producción
- Acceso a canales de distribución

8.4 PRODUCIR SIN FABRICAR

No es una condición necesaria producir artículos por cuenta propia para actuar como fabricante. Mediante la subcontratación es posible lograrlo.

Muchos negocios de éxito que figuran como industrias no son más que agentes comerciales. Esta modalidad puede funcionar si se contratan pequeños productores para elaborar el objeto y asumir por cuenta propia la marca, el envasado y la distribución.

Entre otras ventajas, esta alternativa ofrece la posibilidad de reducir la inversión en activos fijos a sumas insignificantes, y destinar estos recursos a otros usos, por ejemplo, como capital de trabajo y comercialización. Aun cuando la capacidad instalada sea suficiente, la expansión comercial puede lograrse mediante el esquema de subcontratación.

Ahora bien, hay que tener mucho cuidado con las reestructuraciones que buscan exclusivamente bajar los costes de operación de la empresa o trasladarles a terceros, por la llamada modalidad de *outsourcing* o subcontratación, la gestión de algunas operaciones críticas relacionadas con la clientela. Es decir, no sería innovación que una empresa de comercio se reserve la operación y subcontrate el almacenamiento, distribución, instalación y soporte técnico con dos compañías diferentes, con culturas organizacionales y creencias distintas al negocio matriz. Así sólo se logra fragmentar la unidad del concepto de servicio.

HERRAMIENTAS EMPRENDEDORAS

OUTSOURCING O SUBCONTRATACIÓN

¿Oportunidad para iniciar un negocio?

Las organizaciones han desarrollado esquemas para evaluar el desempeño de sus procesos de trabajo con miras a mejorar sus niveles de competitividad. Desde esta perspectiva, la subcontratación es una opción de creación de empresas. Esta alternativa plantea un proceso para la mejora sustancial de medidas críticas de desempeño organizacional, tales como eficiencia, eficacia y efectividad.

El hecho de que una organización existente decida subcontratar procesos mediante la aplicación de criterios como el valor agregado no significa que desaparezca su necesidad.

Para el nuevo emprendedor, una alternativa interesante es realizar un análisis a través del método que propone la figura que se inserta a continuación, que indica cómo la organización del trabajo de una empresa existente puede inducir nuevos negocios.

Para la aplicación del modelo se establecen cuatro niveles de análisis, desde la unidad mayor, que se denomina proceso, hasta la unidad menor de trabajo, designada como tarea.

Para que un emprendedor identifique oportunidades de negocio, deberá partir de la unidad de análisis de procesos, que consiste en una integración de procedimientos de trabajo a los cuales se le aplican las preguntas formuladas en el tema sobre análisis del valor.

HERRAMIENTAS EMPRENDEDORAS *(cont.)*

Cuando una empresa concluye que es más efectivo el proceso de subcontratación en términos de eficiencia y eficacia, deberá explorar esa opción. Allí es donde aparecen oportunidades para crear negocios, con la ventaja de insertarse en la cadena del valor de una organización existente.

Hay que observar que desde la perspectiva de las empresas existentes, se evalúa la posibilidad de encomendar a terceros algunos procesos, en función del análisis del valor agregado, los costes, o la calidad del servicio. Para un nuevo emprendedor ésta es una alternativa interesante, por el hecho de que la empresa ya creada no desarrolla valores agregados o no es eficiente en algunas actividades.

Por último, si una empresa existente no ha pensado en evaluar e introducir la opción de subcontratación y el emprendedor, mediante el análisis consciente, detecta los requerimientos, puede presentar una propuesta de subcontratación que sea atractiva para la empresa en cuestión.

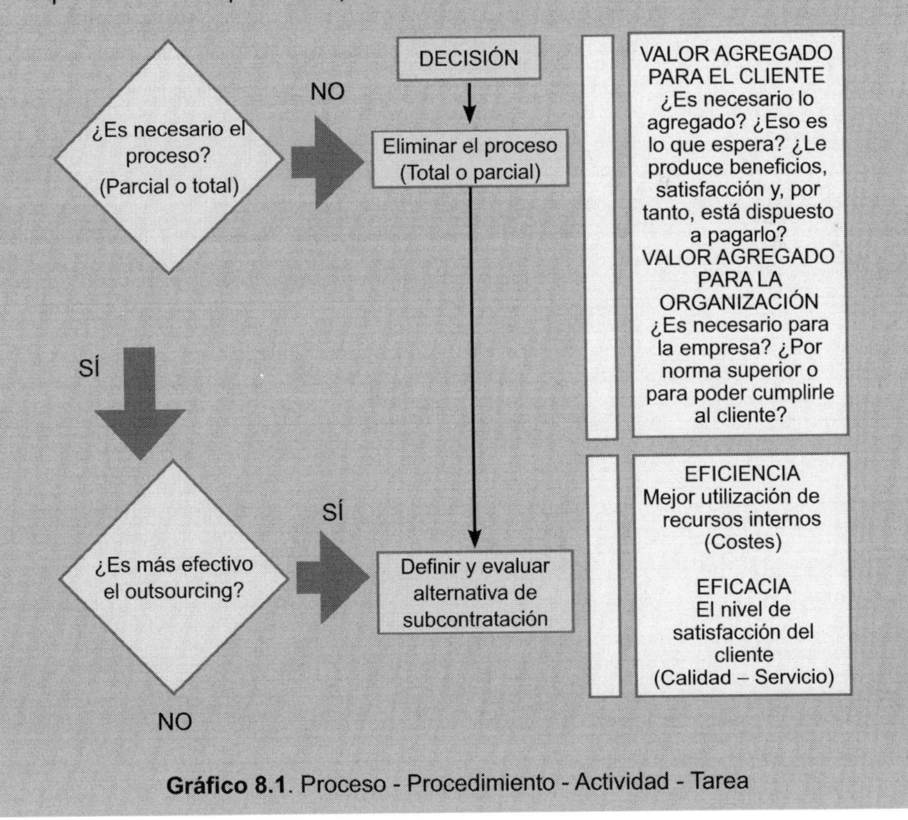

Gráfico 8.1. Proceso - Procedimiento - Actividad - Tarea

VOCES PARA LA ACTITUD EMPRENDEDORA

- A partir de una empresa existente, desarrolle un proyecto de subcontratación (*outsourcing*) que le permita iniciar su propio negocio.
- Identifique las ventajas que tendría cada una de las alternativas de iniciación de empresa para el negocio que ha elegido como el más pertinente hasta el momento.
- Piense en cuál o cuáles de esas ventajas tienen gran peso a la hora de tomar decisión.

NOTA:

*La subcontratación, **outsourcing**, es un proceso planeado de transferencia de servicios que serán realizados por terceros.*

8.5 GUÍA DIDÁCTICA PARA EMPRENDER

8.5.1 CASO Nº 1. Ese producto tiene algo diferente... Innovar para emprender

La imagen corporativa de esta empresa es verdaderamente sugestiva. Para describirla, se puede empezar por las instalaciones físicas: el color de la fachada de las oficinas propias y de los franquiciados es una mezcla de diferentes tonos magenta, el mismo color que utilizan los empleados en sus uniformes, en las cubiertas de los teléfonos móviles y en los ordenadores portátiles que portan los supervisores. La moderna y audaz distribución de las instalaciones da la sensación de un negocio relacionado con artes visuales, pues el entorno está cargado de diseño y flexibilidad surrealista.

Aunque las labores que adelanta la organización implican poca complejidad tecnológica y se trata de un oficio universal y tan antiguo como la aparición de los edificios destinados al comercio, la industria y los servicios, quien lo ideó, con gran espíritu emprendedor, innovó por completo el concepto que se tenía de un sector en el que aparentemente todo estaba hecho: la limpieza institucional.

Usualmente los negocios de esta línea son bastante convencionales, casi artesanales, con trabajadores con escasas competencias, alta rotación de personal, bajos salarios, sin cultura organizacional homogénea, y con una limitada visión de la labor, que sustancialmente se considera que consiste en limpiar suelos, ventanas, barrer pasillos, asear baños y almacenar los residuos en una bodega para su disposición final, etcétera.

Luisa Jiménez, presidenta y accionista mayoritaria de LA ESCOBA S.A., partió de esa simple y antigua idea y fundamentó su negocio en tecnología, servicio, interacción empresarial y gestión del conocimiento. La empresa familiar inició operaciones en febrero de 1992 con 25 empleados, dos clientes corporativos y una facturación de 7.200 dólares mensuales. Hoy la compañía tiene 230 empleados, cinco mil franquiciados, 1.230 grandes clientes, una facturación mensual de 800 mil dólares y un margen neto de utilidad del 5% del valor de las ventas mensuales.

¿Qué hace que el producto de LA ESCOBA S.A. sea diferente al de los competidores?

1. Ha logrado tener un servicio de excelencia, con baja rotación de personal, incentivos y salarios superiores a los de los competidores.

2. La cultura organizacional se fundamenta en el optimismo, la autonomía, la creatividad y un ambiente divertido.

3. Todos los operarios lucen impecables, con uniformes atractivos y bien diseñados, que llevan impreso el logotipo corporativo: una escoba sonriente.

4. Las normas y reglamentos han sido concertados, para dar espacio a la creatividad y a la participación. No obstante, existen protocolos técnicos para desarrollar el oficio de limpieza, los cuales se ha logrado que el personal interiorice.

5. La organización tiene una estructura por procesos y no por funciones.

6. Aunque aparentemente la actividad es simple de ejecutar, no hay espacio para personas con escaso nivel de competencias. El personal reclutado debe contar con habilidades de relación, comercialización de servicios, consumidor, manejo de recursos y administración del tiempo.

7. La empresa cuenta con un sólido programa de formación enfocado a convertir a los empleados de limpieza en especialistas de servicios, con espíritu emprendedor que innoven constantemente su tarea.

8. Los empleados exteriorizan la formación que reciben en su relación con las empresas que atienden, pues participan en programas de sugerencias y mejoras de procesos de los clientes, acordes con la capacidad que han desarrollado para identificar proyectos de mejora continua.

9. Los salarios son variables, y eso permite que los trabajadores fijen sus propias metas, logren ingresos superiores a la industria y gestionen nuevos negocios para la compañía.

10. Se utiliza un sistema efectivo de evaluación del desempeño y de medición de satisfacción de los clientes adecuado a la política de menos reglas y reglamentos.

11. Un servicio excelente requiere tecnología avanzada. Es habitual ver al coordinador de cada grupo de trabajo con un ordenador portátil con Internet inalámbrico y teléfono móvil, lo que le permite desarrollar negocios nuevos y coordinar la operación de los actuales.

12. La Intranet de la compañía divulga indicadores clave de desempeño y se utiliza una plataforma virtual para desarrollar capacitación permanente según el modelo *e-learning*.

13. Cuando internamente se detectan emprendedores de alto desempeño, se les convierte en franquiciados.

VOCES PARA LA ACTITUD EMPRENDEDORA

- Analice la iniciativa emprendedora de la propietaria de La Escoba S.A.
- Cuál considera usted que fue el proceso que se llevó a cabo para consolidar el proyecto de La Escoba S.A.
- En su concepto, ¿La Escoba S.A. es una empresa competitiva? Justifique su respuesta.
- Identifique dos oportunidades de negocio para que pueda aplicar por analogía este modelo innovador.

UNIDAD 3

NOCIONES BÁSICAS PARA NUEVOS EMPRENDEDORES

OBJETIVOS

1. Proporcionar herramientas para que el emprendedor pueda proceder a ejecutar el plan de negocio de su proyecto, es decir, hacer realidad su propuesta.
2. Describir la investigación de mercado, instrumento fundamental para el éxito de una idea que se desee emprender.
3. Suministrar conceptos, métodos y experiencias básicas, referentes a las condiciones financieras que todo emprendedor debe considerar al poner en marcha un proyecto.
4. Proporcionar las pautas necesarias para que el emprendedor pueda tomar el rumbo adecuado, en el momento de poner en operación el negocio que ha consolidado.
5. Señalar aquellos aspectos que se deben considerar para que un proyecto sea exitoso y pueda prosperar sin dificultad.

INTRODUCCIÓN

El emprendedor tiene la facultad de concebir ideas y aprovechar oportunidades, pero creer que con sólo eso se logrará el éxito es un error. Si bien durante muchos años se consideró que administrar y emprender eran tareas no sólo ajenas sino excluyentes, hoy para todos es claro que los roles de emprendedor y administrador son, además de compatibles, complementarios: sin emprendedor, el administrador no tendría problemas por resolver, y sin administrador, el negocio no podría fluir. La simbiosis de ambos actores es lo que consolida un buen negocio. En otras palabras, si el emprendedor detecta las oportunidades, el administrador sabe cómo aprovecharlas.

En ese sentido, la idea de esta tercera unidad es trazarle un mapa de ruta al emprendedor para que conozca los retos que debe enfrentar como administrador. Se trata de unas nociones básicas sobre aquellos temas que son puntuales para el negocio.

En primer término, se presenta una introducción a la investigación de mercados, herramienta que permite al emprendedor determinar buena parte de la factibilidad de su proyecto. Aquí se mencionan varios aspectos, como algunos tipos de investigación —la fáctica y la de actitudes—, el concepto de mercado de prueba y metodologías como la cualitativa, la cuantitativa y la motivacional.

Seguidamente, se realiza una reflexión en torno a las determinaciones financieras, como el precio asignado al producto, el tamaño que debe tener el negocio, la búsqueda de la estructura financiera ideal y el manejo de la tesorería.

En tercer lugar, se ofrecen pautas para que el emprendedor sepa cómo determinar las especificaciones de lo que pretende manufacturar, y en qué condiciones, y para que pueda planear y programar cada etapa de ese proceso.

Para finalizar la unidad, se trabaja un poco sobre los aspectos jurídicos, fiscales, contables y laborales, con el fin de que el nuevo empresario pueda acudir a las fuentes adecuadas para constituir legalmente su empresa.

Capítulo 9

INVESTIGACIÓN DE MERCADO

Un paso trascendental para un nuevo proyecto de empresa es definir el segmento de mercado o de público al que se le ofrecerán los productos y/o servicios que se plantean. También es necesario determinar el tamaño de ese grupo y el volumen de ventas que se espera tener.

El conocimiento de ese mercado puede lograrse mediante un análisis que se sustente en estadísticas tanto de hechos como de información recogida mediante diversas técnicas. Sin embargo, este tipo de investigación, denominada cuantitativa, es un elemento de referencia no determinante para calcular la probable demanda de productos nuevos.

Los mercados son dinámicos, los elementos que proporcionan satisfacción cambian y los consumidores afinan sus necesidades. Por eso, sin quitarle importancia a la investigación cuantitativa, para efectos del plan de negocio es útil dar relevancia a la investigación cualitativa como fundamento del análisis.

Seguidamente se relacionan algunos elementos que permiten integrar conceptos para tomar decisiones con referencia al mercado.

9.1 INVESTIGACIÓN DE ACTITUDES

Por su condición de seres humanos, es posible intentar deducir cómo actuarán los consumidores ante determinados estímulos o situaciones, o descubrir qué necesidades o problemas tienen y cómo se pueden satisfacer o resolver. La investigación de actitudes está claramente orientada a la forma como se toman las decisiones cuando se pretende colmar un deseo o un requerimiento.

A continuación se revisan las distintas formas que toma la investigación cualitativa.

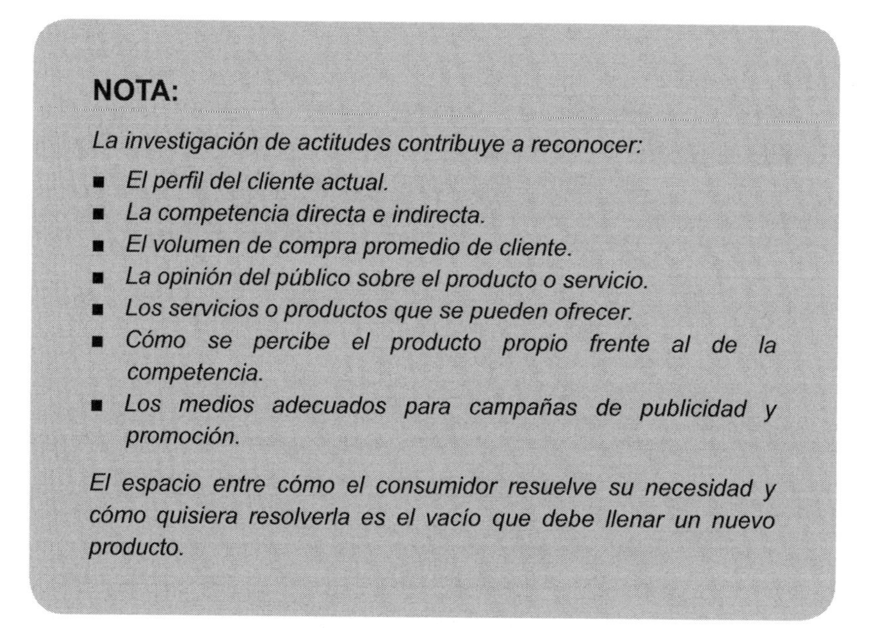

NOTA:

La investigación de actitudes contribuye a reconocer:

- *El perfil del cliente actual.*
- *La competencia directa e indirecta.*
- *El volumen de compra promedio de cliente.*
- *La opinión del público sobre el producto o servicio.*
- *Los servicios o productos que se pueden ofrecer.*
- *Cómo se percibe el producto propio frente al de la competencia.*
- *Los medios adecuados para campañas de publicidad y promoción.*

El espacio entre cómo el consumidor resuelve su necesidad y cómo quisiera resolverla es el vacío que debe llenar un nuevo producto.

9.1.1 Búsqueda de necesidades

La técnica consiste en reunir un grupo de posibles usuarios o clientes y explorar con ellos, de forma más o menos dirigida, el tipo de problema de su entorno que no se encuentra resuelto en forma satisfactoria.

La exploración puede ser totalmente abierta o puede orientarse hacia problemas que el emprendedor podría solucionar, según su experiencia y formación.

9.1.2 Hábitos y usos

Una vez identificadas las necesidades, comienza la fase de diseño de los productos o servicios que pueden satisfacerlas. Para ello hay que investigar cómo intenta el usuario solucionar su problema. Entonces el emprendedor debe preguntarse si usa algún tipo de producto específico, qué dificultades entraña el uso de ese producto, qué parte del problema dejaría él sin resolver y cuál de las tareas que actualmente realiza es la más incómoda o costosa.

En resumen, es preciso concretar cómo el cliente resuelve determinado problema y cómo le gustaría resolverlo. El espacio entre una cosa y otra es el vacío que puede llenar el nuevo producto.

En la fase de diseño también es fundamental interactuar con el cliente y conocer sus actitudes. Para ello se pueden utilizar prácticas como:

9.1.2.1 Test de concepto

Puede ser interesante determinar la reacción de los posibles usuarios ante el concepto del producto, que corresponde a la descripción más concisa posible que se hace sobre él y sobre su función.

Ahora bien, muchas veces un mismo producto puede definirse con más de un concepto, según se haga hincapié en una u otra característica. Normalmente suelen probarse varias significaciones y se recalca más una característica que otra. También puede hacerse más o menos fuerte la promesa del producto.

Para cada concepto es importante saber la reacción del posible usuario ante tres aspectos:

VOCES PARA LA ACTITUD EMPRENDEDORA

- Establezca el o los conceptos de producto para la oferta que planea hacer.
- Efectúe el test de concepto correspondiente.
- Evalúe los resultados.

- **Unicidad:** ¿Es el concepto innovador? ¿Su promesa es la misma que ofrecen los productos existentes en el mercado? ¿En qué grado sí o en qué grado no?
- **Intención de compra:** ¿Qué grado de certidumbre existe sobre si el posible usuario comprará el producto que se le promete?
- **Credibilidad:** ¿La gente cree en lo que promete el concepto? ¿Qué hace que no crea?

HERRAMIENTAS EMPRENDEDORAS

Todas las ideas pueden ser rentables. Lo que cambia es la manera de hacer las cosas. Se puede tener una idea brillante, un mercado increíble, pero un fracaso rotundo. ¿A qué se debe ese fenómeno? A que se hace mal el trabajo...

Por ejemplo, se publica un libro electrónico sobre perros pastores ingleses y en él se vuelca todo el conocimiento de un experto criador. Desde el punto de vista técnico, el libro también es una maravilla. Se diseña la Web correspondiente; se promueve la obra en cuanto aparece, se ponen anuncios en miles de páginas web y el plan de afiliación al sitio supera los cien mil inscritos. Todo indica que se está llegando a millones de personas, por lo que seguramente se concretarán miles de ventas. Para sorpresa de los dueños del negocio, sólo se venden algunas decenas de libros. La frustración aparece rápidamente y surge la pregunta lógica: ¿Qué paso? La respuesta es sencilla: No se eligió ni se calculó el mercado.

¿Qué sentido tiene ofrecer un producto tan específico como ése a personas que no tienen ningún interés en él? Los seres humanos se movilizan y compran, si desean, lo que se les ofrece. Hay que empezar con una idea, luego verificar si es rentable, y después poner en marcha el desarrollo del producto. Si no se hace de esta manera, con seguridad lo que se emprende no tendrá éxito.

Una última anotación, y no menos importante, no se puede olvidar que la segmentación de mercado debe ser constantemente. A medida que las listas se agrandan, deben fraccionarse y agruparse por intereses comunes. Eso permite ofrecer productos o servicios prácticamente personalizados y, por consiguiente, exitosos.

Basado en un texto de Daniel Brugiafredo, director de www.negociosvirtuales.net y de www.emprendedoresvirtuales.net

En función de las respuestas a estas preguntas y otras que se puedan plantear, se puede percibir el interés que despierta el producto. Tras elegir el concepto que parece más conveniente, se determina el diseño del producto, que dependerá de las características básicas descritas en la idea elegida.

Las relaciones entre concepto y percepción por parte del cliente potencial condicionan el tipo y la intensidad de la promoción y la difusión que debe hacerse del producto. Por ejemplo, si se ha elegido un concepto con baja credibilidad, hay que esforzarse para convencer al cliente de que el producto es capaz de cumplir lo que promete. Por supuesto, hay que ser particularmente exigente en cuanto a que el producto realmente cumpla, porque el usuario será especialmente suspicaz y crítico cuando lo pruebe.

9.1.2.2 Test de producto

Con el diseño listo, es posible efectuar un prototipo o modelo del producto para observar cómo lo percibe el usuario. Además, se entrega el modelo al usuario para que lo utilice en condiciones similares a las cotidianas.

Para realizar esta prueba puede explicarse previamente al cliente el concepto de producto o simplemente suministrárselo. En el primer caso, además, se confronta la promesa de producto con la percepción real por parte del usuario.

El test de producto no sólo debe hacerse en la fase de diseño; es conveniente efectuarlo periódicamente para estudiar los posibles cambios que puedan ocurrir en la percepción del usuario.

También es conveniente realizar pruebas comparativas con los productos de los principales competidores y así saber si la oferta propia es superior o inferior.

Existen varias formas de realizar estas pruebas:

- **Prueba monódica:** se le deja al usuario sólo el producto propio y se le interroga sobre su percepción con respecto a los de la competencia.

- **Prueba monódica secuencial:** se le deja al usuario un producto durante cierto período de tiempo, transcurrido el cual se le pregunta sobre su experiencia con el mismo. Se retira ese producto y se le deja la muestra de otro fabricante durante el mismo lapso de tiempo; al final se le pregunta por el segundo producto y se le solicita que lo compare con el primero, y así sucesivamente. Si se opta por este método, hay que tener la precaución de no dejar a todos los usuarios la misma marca primero.

- **Prueba cara a cara (*side by side*):** se le dejan al usuario los dos productos a la vez. Al final de cierto período, se le sondea sobre la percepción que tuvo de ambos y se le pide que los compare.

Este sistema tiene la ventaja de ser más barato, la comparación es más directa y lleva menos tiempo su realización. Sin embargo, es difícil garantizar que el usuario no confunda las características de un producto con las de otro, lo que invalidaría el test.

El test de producto puede investigar gran variedad de aspectos, como por ejemplo:

a. Características del producto ideal.
b. Importancia de esas características.
c. Cumplimiento de la promesa del producto entregado.
d. Opinión general del producto.
e. Unicidad del producto.
f. Intención de compra.
g. Precio máximo y mínimo estimado.
h. Comparación con el producto habitual (globalmente o por características).
i. Comparación con el otro producto entregado.

VOCES PARA LA ACTITUD EMPRENDEDORA

- Elabore el prototipo o modelo del producto que va a ofrecer.
- Seleccione el tipo de test que considere más adecuado y justifique su elección.
- Lleve a cabo el test y evalúe los resultados obtenidos.

9.1.2.3 Test de características

En muchas ocasiones es factible aislar alguna de las características de un producto para ensayarla por separado. Por ejemplo, la fragancia de un champú puede probarse de manera independiente para seleccionar la más adecuada o se pueden ofrecer degustaciones con diversas variantes del sabor de un refresco de limón en polvo previamente diluido, y así determinar cuál agrada más. Lo mismo puede hacerse con el envase, la marca, el color y las etiquetas.

Sin embargo no está clara la validez del juicio momentáneo sobre las características aisladas del contexto general del producto y de su uso. Este tipo de test parece ser adecuado en casos como el de la selección del mejor perfume, entre los muchos disponibles, para un champú. Son test que tienen un valor discriminatorio, pero en muy contadas ocasiones se les puede dar un valor definitivo.

9.2 MERCADO DE PRUEBA

Estas pruebas intentan simular situaciones más o menos reales para observar el comportamiento de los consumidores; entonces, ¿por qué no crear uno o varios mini mercados para examinar la conducta asociada con la probable compra y uso del producto? Esa idea es la que subyace tras el uso de un mercado de prueba.

Un beneficio adicional de la prueba está en que, además de ayudar a definir una adecuada combinación de marketing, extiende sus resultados al mercado global, lo que es una buena aportación para fijar los objetivos.

Como en las otras prácticas, obtener conclusiones acertadas del razonamiento cualitativo es un arte, pues lo acertado de las deducciones depende de las habilidades particulares de cada emprendedor.

9.3 MAPAS DE MARCAS

Buscar el sector disponible para competir es aprender a razonar en términos de segmentos de mercado, y descubrir aquel en el que la nueva empresa puede encontrar su nicho.

Al trabajar en el análisis de competencia, efectuar mapas de marcas ayuda a estimar el mercado. Esos mapas permiten ver claramente cómo se ubica cada marca en la mente del público objetivo, en lo referente a las características o beneficios que se le ofrecen y a la percepción de determinado producto como el ideal.

En el proceso de calcular cuánto de la demanda genérica se podría capturar y convertir en el mercado propio, es necesario reflexionar sobre los siguientes aspectos:

VOCES PARA LA ACTITUD EMPRENDEDORA

- Diseñe un modelo de investigación de mercado para el producto o servicio que tiene en mente.
- Indique el tipo de prueba que elegiría y explique por qué tomaría esa determinación.

a. En ese sector de negocio, ¿frente a quiénes se está?

b. ¿Cuál es la estructura de la competencia? ¿Organizaciones pequeñas, grandes, antiguas, nuevas, de reacción rápida o lenta?

c. ¿Cuáles han sido los factores de éxito o de fracaso en este tipo de negocios?

d. ¿Qué estrategias siguen los actuales competidores? ¿Cuáles serían las probables estrategias defensivas?

Con estas consideraciones, es posible determinar el volumen de ventas, a qué grupo de clientes se va a dirigir y en qué sitios se va a distribuir el producto.

De la definición de la porción de mercado que se aspira a manejar, depende la dimensión operativa y financiera de la nueva empresa.

GRANDES RETOS, GRANDES EMPRENDEDORES

En 1903, dos jóvenes norteamericanos de tan sólo 20 años de edad construyeron su primera motocicleta. Pertenecientes a la clase obrera, William Harley y Arthur Davidson dieron vida a lo que años más tarde se convertiría en un icono cultural: las ruidosas, potentes y míticas motos *Harley-Davidson*.

Pero la compañía, cuya imagen es tan poderosa como las máquinas que produce, no siempre fue exitosa y en los años 60 iba directamente a la bancarrota. Aunque fue vendida, los nuevos dueños poco o nada sabían acerca de cómo restaurar la rentabilidad en una empresa de esa índole y a pesar de que el volumen de ventas era impresionante, por aquellos años la calidad de las motos llegó a ser notoriamente mala.

En 1981, con ayuda financiera, un grupo de emprendedores vinculados a la *Harley-Davidson* inició negociaciones para adquirir la compañía y rescatarla de la quiebra. Entre ellos estaba William Davidson, nieto de uno de los fundadores.

Sólo unas pocas compañías han sido exitosas al inventar nuevos modelos de negocios, o al reinventar los ya existentes, así que con ese conocimiento en mente, los cambios administrativos, técnicos y tecnológicos en *Harley Davidson* no se hicieron esperar.

GRANDES RETOS, GRANDES EMPRENDEDORES *(cont.)*

De las muchas medidas arriesgadas que tomaron, nada fue tan definitivo como el manejo del mercado que llevó a los comprometidos emprendedores a dar un gran paso: de vender el estilo de vida de los "chicos malos", casi antisociales, procedentes de las clases obrera y media de los años 50 se pasaría a ofrecer prestigio y aventura a una élite de hombres y mujeres de éxito.

La compañía comenzó a organizar rallies para impregnar de "la experiencia Harley" a los potenciales nuevos clientes, y reforzó la relación entre los miembros de la organización, los comerciantes, los empleados y los compradores.

La empresa se volvió inmensamente popular y logró conformar una gran familia. Cada integrante obtenía una afiliación gratuita por un año a un grupo local de motociclistas, recibía publicaciones sobre el tema, asistía a recepciones privadas, contaba con un seguro y con servicio de emergencia en los caminos, y tenía privilegios para alquilar motos cuando estaba fuera de su lugar de residencia, entre otros muchos beneficios. Para 1987, ya había 73 mil miembros registrados y veinte años después no son menos de 450 mil.

La venta de "la experiencia Harley", y no sólo la del producto motocicleta, permitió la expansión de un grupo empresarial que cuenta hoy, además, con una línea de ropa, un negocio de repuestos y accesorios, manufactura plumas estilográficas y hasta posee la tarjeta de crédito Visa Harley Davidson.

VOCES PARA LA ACTITUD EMPRENDEDORA

- ¿Cree usted que las innovaciones efectuadas en *Harley Davidson* obedecen a una investigación de mercado? Justifique su respuesta.

9.4 EL CICLO DE VIDA DE LOS PRODUCTOS

9.4.1 Ciclo básico

Al hablar de crecimiento empresarial, se debe hacer referencia al ciclo de vida del producto, pues todos ellos tienen nacimiento y en algún momento declinarán.

Un producto o servicio atraviesa por cuatro etapas:

- Introducción
- Crecimiento
- Madurez
- Declive

En el gráfico siguiente se puede observar cómo se comportan los productos durante su ciclo de vida:

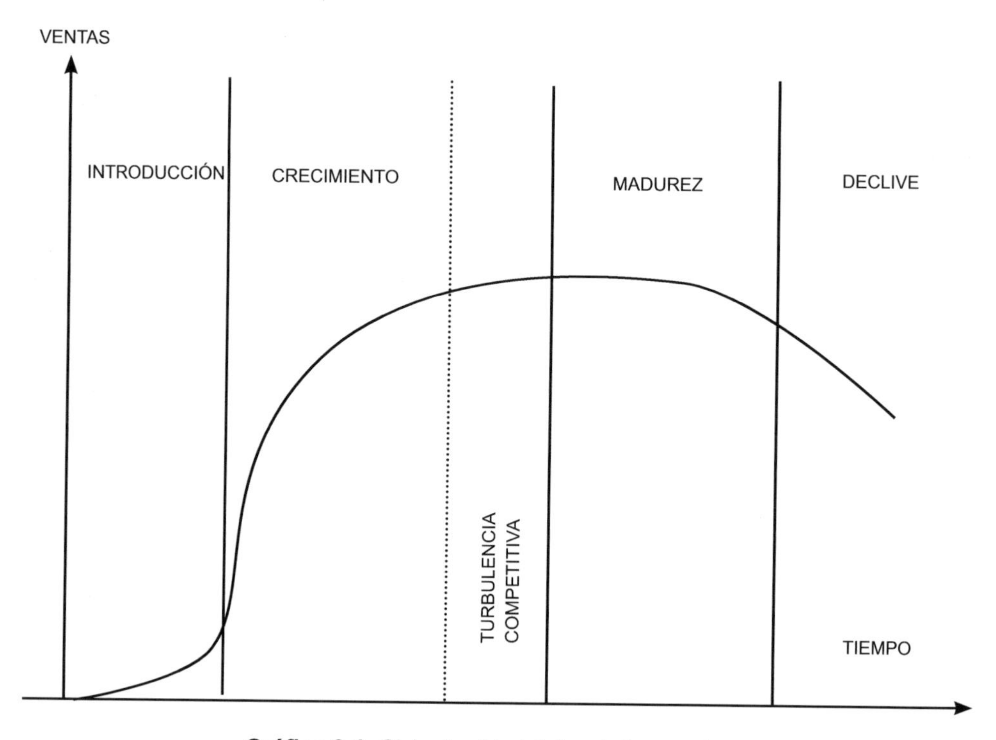

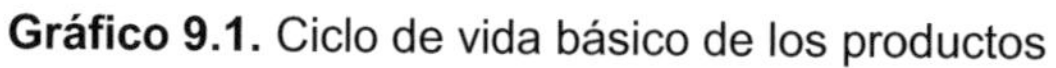

Gráfico 9.1. Ciclo de vida básico de los productos

A continuación en el cuadro se señala lo que ocurre con el producto en cada una de sus etapas; se consideran aspectos como tecnología, producción, capital, estructura de la industria, recursos humanos, estructura de marketing y demanda.

	INTRODUCCIÓN	CRECIMIENTO	MADUREZ
TECNOLOGÍA	Cambia rápidamente y se adapta a las preferencias del consumidor. Está bajo la empresa innovadora. No se licencia ni vende.	Pocas variaciones de importancia. Es vital la innovación en los procesos. Las variaciones en las patentes hacen disminuir el monopolio tecnológico. Existe alguna difusión y licencia.	Tanto el producto como los procesos son estables; no hay innovaciones importantes de diseño. El producto se consigue y se transfiere fácilmente.
PRODUCCIÓN	Centrada en el producto; series cortas, fabricación de prototipos.	Cambiando hacia el proceso. Series más largas; se introduce la producción masiva, aunque la técnica puede variar.	Centrada en el proceso. Series largas. Procesos estables.
CAPITAL	Poco uso de capital. Equipo no especializado.	Incrementa su utilización.	Grandes inversiones en equipo especializado.
ESTRUCTURA DE LA INDUSTRIA	Liderazgo de la empresa innovadora. Otras intentan entrar para aprovecharse del éxito. El conocimiento tecnológico es la barrera fundamental para entrar.	Gran número de empresas y profusión de quiebras y absorciones. Aumenta la integración. Los recursos financieros son críticos par el crecimiento.	El número de empresas disminuye, así como los márgenes menores. Las posiciones establecidas en el mercado son la barrera principal.
RECURSOS HUMANOS	Imprescindibles los especialistas, los técnicos, los científicos y los expertos en marketing.	Hacen falta buenas direcciones de producción y financieras para reducir costos.	Mano de obra calificada para el marketing.
ESTRUCTURA DE MARKETING Y DE LA DEMANDA	Mercado de vendedores. Baja elasticidad de precios. "Atracción por lo diferente". Gran esfuerzo de marketing de introducción, en comunicación e impactos. Altos precios monopolísticos.	Mercado equilibrado. Aumento de la elasticidad de los precios. Empieza la diferenciación de los productos. La distribución es vital. Aumenta la competencia y disminuyen los precios.	Mercado de compradores. Gran elasticidad para los fabricantes individuales. Gran diferenciación de productos y marcas que pueden aparecer en diversas formas. Precios y márgenes más bajos.

9.4.2 Ciclo de vida y competitividad internacional

Un reto que deben enfrentar los nuevos emprendedores, dependiendo del país donde residan, tiene que ver con la competitividad internacional; hoy en día los mercados no se deben examinar desde una óptica regional, sino global. La forma de responder al desafío de la interacción internacional es analizar qué ocurre en el ámbito mundial, en las distintas etapas de vida de un producto.

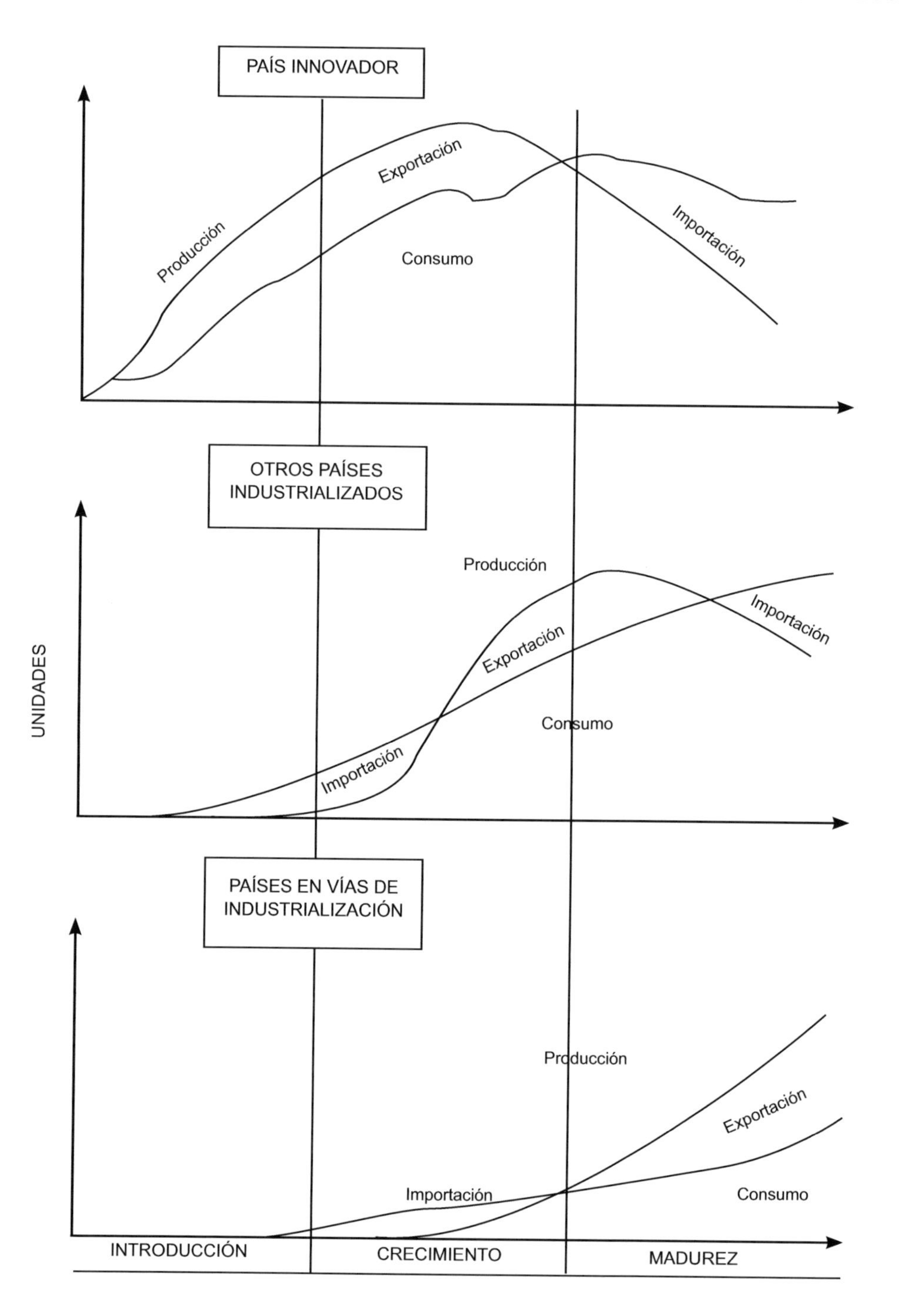

Gráfico 9.2. Ciclo de vida internacional de los productos

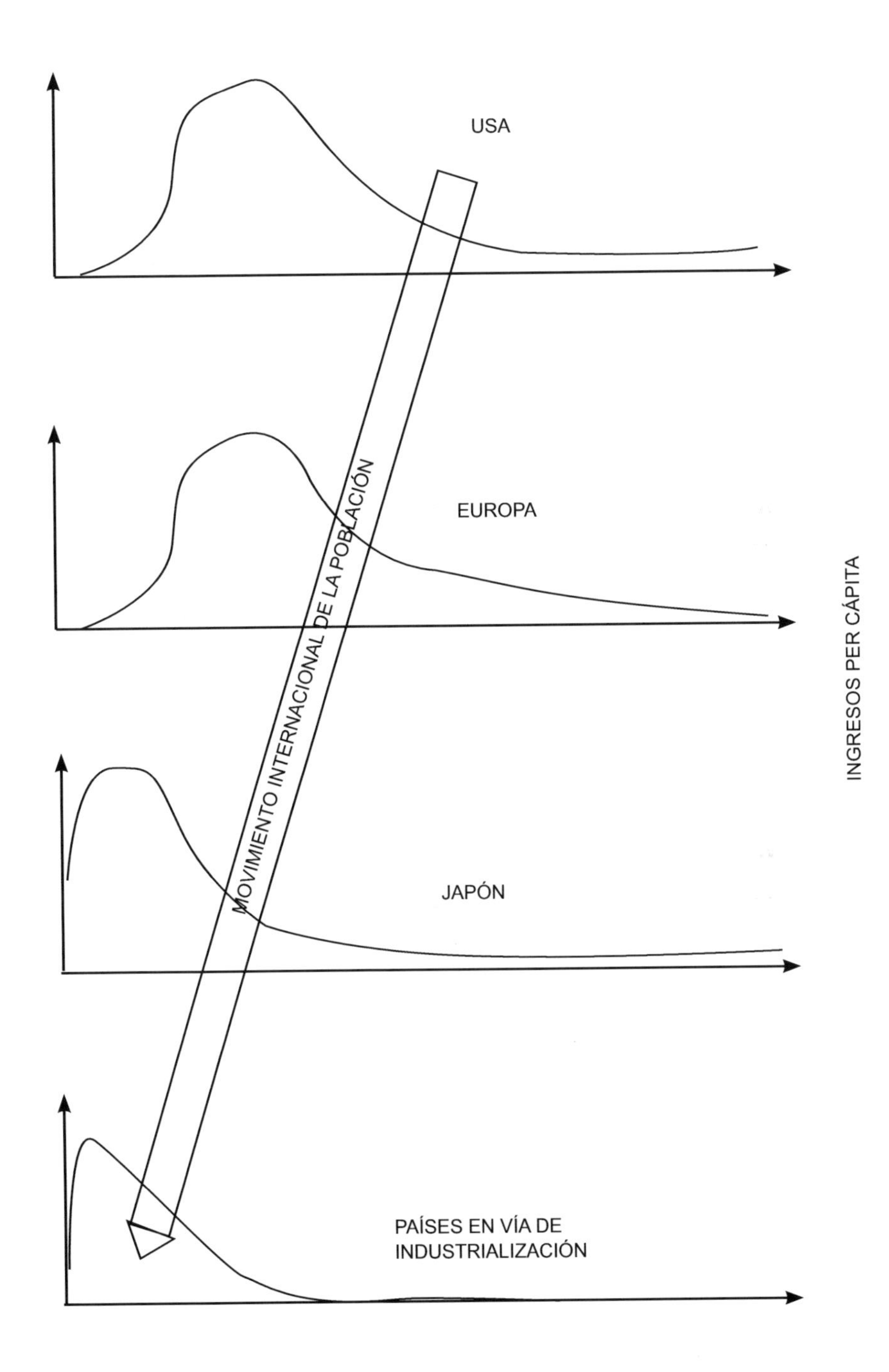

Gráfico 9.3. Movimiento internacional de la producción

Pensar en una empresa y desconocer las acciones de negocio desarrolladas en otros países puede conducir a problemas, porque no siempre las barreras arancelarias y la protección del Estado son suficientes frente a la agresividad de empresas que compiten globalmente. Al mismo tiempo, al dar una perspectiva internacional al nuevo negocio, se contribuye a fortalecer la economía del país.

Las anteriores figuras muestran cómo unos países pierden competitividad en beneficio de otros, dependiendo del ciclo de vida de los productos y del sector estratégico donde se encuentren.

En el ciclo de vida la producción empieza en el país innovador, que tiene capacidad tecnológica y población con ingresos altos para consumir el producto, que por su novedad es de alto coste; paralelamente se inicia la exportación a otros países con altos ingresos. El país innovador es el monopolista y las exportaciones le dan un saldo favorable. Esto sucede en la etapa de introducción.

Con el tiempo las ventas crecen, se abarata el coste del producto, el conocimiento tecnológico se difunde hacia otros países industrializados, que por tener población con ingresos suficientes justifican la fabricación nacional. Estos países, al ofrecer menores precios, empiezan a exportar al país innovador y a países no industrializados el producto y logran para sí un saldo exportador a su favor.

Cuando el producto alcanza la madurez, la producción se traslada a los países en vías de industrialización, que presentan ventajas competitivas al poder participar con bajos costes; la tecnología es totalmente conocida y ya no funciona como barrera de entrada al negocio. Obviamente que estas consideraciones tienen excepciones, pero la tendencia generalizada es hacia el ciclo internacional descrito. Ahora los tiempos de migración ya no son de años, sino, tal vez, de meses.

Este proceso muchas veces se genera por iniciativa de las empresas multinacionales, pues trasladan de un país a otro la producción para aprovechar las ventajas competitivas ya señaladas. Esta internacionalización de la producción se demuestra, por ejemplo, al observar cómo la producción de las multinacionales norteamericanas que actúan fuera del país es

HERRAMIENTAS EMPRENDEDORAS

- ¿Cómo aprovechará el concepto de ciclo de vida en la configuración de su propuesta de nuevo negocio?
- Identifique cinco aspectos clave de su negocios e imagine cómo será el comportamiento de cada uno de ellos durante cada etapa del ciclo.

cuatro veces mayor de lo que exportan las internas. En Gran Bretaña, por su parte, la producción internacional es dos veces el volumen de sus exportaciones.

Pero el fenómeno de las multinacionales no sólo es peculiaridad de los países industrializados; muchos en vías de industrialización se encuentran compitiendo en sectores de productos maduros, pues aprovechan la ventaja de poseer materias primas naturales y menores en costes frente al contexto internacional.

Este esquema requiere que los gobiernos desarrollen un marco de política económica industrial, que permita a las empresas responder al reto de la participación internacional. Sin embargo, la decisión de competir en el sector estratégico más favorable es responsabilidad del empresario, cuando elige productos y mercados en el nicho adecuado.

El análisis en la perspectiva internacional de la empresa permite sugerir que, para países en vías de desarrollo, la etapa más factible para competir internacionalmente puede corresponder a los productos que están culminando su fase de crecimiento, para entrar en la madurez.

Capítulo 10

NOCIONES FINANCIERAS

Tanto en la elaboración del plan de negocio como en el momento en que se consolida la empresa, es necesario tener uniformidad de criterio sobre algunos conceptos financieros y, del mismo modo, conocer una serie de herramientas, de precisiones técnicas y de recomendación que proponen los expertos.

En este capítulo se presentan, a modo de orientación, nociones básicas sobre esos temas, a manera de guía para que el emprendedor pueda profundizar en ellos y adoptar las medidas que considere necesarias para su empresa.

10.1 EL PRECIO DEL PRODUCTO

La fijación de precio de venta de un nuevo producto o servicio es un elemento clave en la estrategia de entrada de una nueva empresa. Por precio se entiende la suma de dinero que el consumidor está dispuesto a pagar para adquirir un producto o servicio con todos sus complementos.

La fijación de los precios de venta debe hacerse de acuerdo con el segmento del mercado al cual se orienta la acción del empresario, y con la forma como se pretende llegar al consumidor[17].

---

17 HANDS COMBE, Richard. *El jefe del producto.*

Debe notarse que el precio no solamente está en función de lo que representa físicamente el producto, sino de las facilidades anexas que se le suministren al consumidor, y de la suma que él estima que se puede pagar por lo que recibe; esa apreciación depende de las características del grupo de clientes al que se oriente la venta.

En consecuencia, un mismo producto físico orientado a segmentos distintos tiene precios diferentes, puesto que algunos usuarios estarán dispuestos a pagar por servicios adicionales que asumen como ventaja en el momento de su acción de compra. Una docena de naranjas puede tener un precio de un euro, si se compra directamente a un pequeño agricultor, mientras que en un supermercado, con buen posicionamiento social, la misma docena puede costar 50 céntimos de euro más, porque la tienda ofrece al consumidor un mejor envase, selección y calidad, además de facilidad en el tránsito interno, aparcamiento gratis, mayores comodidades, horarios extendidos y una mezcla comercial complementaria, entre otras muchas cosas.

NOTA:

Precio: suma de dinero que el cliente está dispuesto a pagar para adquirir el producto o servicio.

Evidentemente habrá personas que valorarán el precio sólo por el número de unidades de naranjas, mientras que otras lo harán por el número de unidades recibidas más los servicios adicionales, por lo que es factible que se presente un precio diferente por un aparente mismo concepto.

Por otra parte, en las decisiones sobre la fijación de precios es importante tener en cuenta la elasticidad de la demanda y de los ingresos. Si el producto tiene una demanda no elástica, el ingreso total de la empresa aumenta o disminuye en la misma medida en que el precio lo hace. Este caso se da en productos y/o servicios sin sustitutos, con características de monopolio y esenciales en la cadena del valor de un sector.

Ahora, si el producto tiene una demanda elástica, un aumento en el mismo disminuye la demanda, mientras que una reducción la aumenta; en cualquiera de los dos casos, se produce un efecto sobre los ingresos totales de la compañía. Esta situación es común en productos que tienen sustitutos o en productos y/o servicios de ciclos de madurez con una gran turbulencia competitiva, por efecto de la competencia ampliada.

En la decisión de fijar precios es importante notar que el consumidor compara beneficios y sacrificio económico. Percibe beneficios al notar los atributos de calidad y la satisfacción que produce el bien; el sacrificio se refiere al desembolso de la cantidad de dinero que constituye el precio. La correlación entre esas dos variables es el valor percibido por el consumidor, factor fundamental en la conducta de adquisición.

El valor percibido tiene cuatro componentes:

- Coste de adquisición
- Coste del cambio
- Estética
- Uso relativo

NOTA:

Al fijar el precio, debe tenerse en cuenta que el consumidor siempre compara los beneficios del producto con el sacrificio económico que hace para adquirirlo.

El coste de adquisición es el precio absoluto; el de cambio es la valoración, a favor o en contra, que determina la decisión de comprar otra marca u otras especificaciones; la estética se refiere a la forma, a la percepción sensorial de un producto o un servicio, y el uso relativo tiene relación con las decisiones derivadas de la funcionalidad del producto por sí mismo, por sus accesorios o por los servicios agregados.

Para establecer los precios deben tenerse en cuenta los siguientes aspectos:

1. Determinar el precio con relación al coste, más el porcentaje de utilidad deseado.

2. Analizar el efecto de ese precio con relación al volumen de unidades que se deben vender para empezar a generar utilidades.

3. Determinar cuánto está dispuesto a pagar el consumidor por los atributos del producto ofrecido, teniendo en cuenta las distintas opciones que ofrece la competencia y la capacidad de compra de los posibles usuarios.

4. Analizar los precios de la competencia en iguales segmentos de mercado.

VOCES PARA LA ACTITUD EMPRENDEDORA

- Siga los pasos para determinar el precio del producto que tiene proyectado. ¿A qué conclusiones llegó?

10.2 EL PUNTO DE EQUILIBRIO

Una vez estimado el mercado, el empresario debe preguntarse cómo serán sus operaciones, su funcionamiento, para determinar el valor de los activos requeridos y las fuentes de financiación.

Por razones prácticas, es conveniente determinar el volumen factible de operación del negocio y la estructura financiera. Se trata de procesos simultáneos, de un juego de cifras interrelacionadas y dependientes que permiten que el empresario se pregunte *qué pasaría sí...*

La técnica del punto de equilibrio es una forma para analizar la viabilidad del volumen de actividad intuido por el empresario, y para establecer el volumen de ventas a partir del cual la empresa empieza a tener utilidades.

En la operación de toda empresa se incurre en dos tipos de gastos: fijos y variables. Los fijos son aquellos que tienen que pagarse, en forma independiente de que la empresa produzca y venda. Dentro de este tipo de gastos están los alquileres, los intereses sobre préstamos y los sueldos, entre otras.

Los gastos variables son aquellos que dependen del volumen de actividades de la empresa; es decir, a mayores operaciones, mayores gastos variables. Entre ellos están las comisiones sobre ventas, las materias primas, la energía para la producción, etc.

Es indispensable saber cuál es el volumen de ventas que cubre los gastos fijos y variables. Para ello se utiliza el método del punto de equilibrio ya mencionado, que se ilustra con el siguiente ejemplo:

Un artículo, cuyo precio de venta es de 100,00 euros, tiene una composición de gastos así:

- Gastos variables: $60
- Materias prima utilizada, comisiones, incentivos, etc.,
- Margen para cubrir gastos fijos y utilidad $40

NOTA:

El punto de equilibrio sirve para dimensionar el negocio y permite evaluar la sensibilidad operativa ante cambios que puedan surgir.

Si se supone que los gastos fijos del negocio son de 30.000 euros mensuales, el volumen de ventas necesario para cubrir estos gastos sería igual a 30.000 euros, dividido en 40%, lo que da como resultado 75.000 euros; en otras palabras, al alcanzar esa suma se cubren los gastos variables y fijos del negocio.

$$30.000 / 0,4 = 75.000$$

En unidades, quiere decir que se deben vender 750 artículos mensuales para alcanzar el punto de equilibrio.

Del ejemplo se puede deducir que la fórmula para determinar el punto de equilibrio es:

$$\text{Punto de equilibrio} = \frac{\text{Gastos fijos}}{\text{Margen de ventas para gastos fijos}}$$

Las ventas que superen esa cantidad generarán un excedente de utilidad.

Gráfico 10.1. Determinación gráfica del punto de equilibrio o Break - even point

La determinación del punto de equilibrio no pasaría de ser un simple ejercicio académico si no tuviera ventajas de orden práctico para el empresario. Se usa fundamentalmente para responder la serie de preguntas que en un ambiente simulado se plantea el empresario:

¿Qué pasaría sí...

- se bajan o se suben los precios de venta?
- si se modifica algún elemento del coste variable o del coste fijo?
- si a modo de estrategia defensiva la competencia decide hacer una drástica reducción de precios? ¿Hasta qué punto se puede responder sin someter el negocio a un riesgo inoficioso?
- si crece el negocio, operarían las economías de escala? ¿Los costes fijos seguirían iguales?

En conclusión, el negocio puede dimensionarse con una adecuada utilización del punto de equilibrio. Como herramienta de planificación, permite al empresario evaluar la sensibilidad operativa del negocio ante cambios que puedan suscitarse.

Seguramente en alguno de los volúmenes de venta que calcule el empresario, según sean sus expectativas, encontrará la dimensión operacional financiera que le otorgue estructura al negocio.

VOCES PARA LA ACTITUD EMPRENDEDORA

- Establezca el punto de equilibrio para su futuro negocio.

10.3 LA ESTRUCTURA FINANCIERA

Antes de montar cualquier negocio, el emprendedor debe hacer un examen financiero que responda a las preguntas:

- ¿Cuánto vale crear la empresa?
- ¿Con cuántos recursos se cuenta?
- ¿De qué fuentes y a qué coste se conseguirán los recursos adicionales?
- ¿Es necesario endeudarse?

La evaluación se realiza mediante el estudio financiero de arranque y el estado de resultados reflejará las utilidades que se percibirían período a período. Basta con descontar de las ventas proyectadas los costes de operación y los gastos necesarios para funcionar.

El balance de arranque también detalla cuánto vale la empresa y de dónde provendrán los recursos para financiarla. Es una especie de fotografía que revela el valor de los activos, los pasivos y el patrimonio.

Gráficamente puede representarse mediante un rectángulo dividido en tres porciones:

<table>
<tr><td rowspan="2">ACTIVO

Área 1</td><td>PASIVO
Área 2</td></tr>
<tr><td>PATRIMONIO
Área 3</td></tr>
</table>

ACTIVO = PASIVO + PATRIMONIO
BALANCE GENERAL

La porción de la izquierda (área 1), que ocupa la mitad del rectángulo, corresponde a los activos de la compañía, equivalentes a la suma de todos los bienes físicos y monetarios requeridos para operar. Se consideran el efectivo, las cuentas por cobrar, los inventarios, maquinaria, equipos, terrenos, edificios, etc.

La porción de la derecha del gráfico (áreas 2 y 3) corresponde a los pasivos y al patrimonio, respectivamente. Los pasivos son todas aquellas aportaciones obtenidas de terceros que representan deudas de la empresa: cuentas por pagar a proveedores, préstamos, hipotecas, etc.

El patrimonio está representado por el capital propio disponible, más las utilidades acumuladas en los distintos períodos.

Se reitera que para efectos del arranque del negocio, el patrimonio es igual al capital del empresario, pues las utilidades se percibirán en el futuro.

Con la ayuda del gráfico y la ecuación contable, en la que los activos son iguales a pasivo más patrimonio, antes de iniciar el negocio se pueden simular diversas estructuras financieras que satisfagan las expectativas del empresario.

Para ilustrar lo anterior, puede suponerse lo siguiente:

Un grupo de emprendedores requiere un volumen de activos de 10.000 euros. Entre las muchas alternativas para obtener fondos estarían:

- Que los 10.000 euros fueran aportados totalmente por los emprendedores. En este caso, se inicia con un pasivo igual a cero.

- Que sólo se disponga de una parte de los fondos requeridos. Esta circunstancia implica endeudarse, pero la proporción en que se haga no debe exceder el 50%, punto de corte para el control de la nueva empresa.

Cabe anotar que con respecto a la segunda opción, existen otros criterios sobre niveles más altos de endeudamiento, pero el autor considera que no es sano iniciar el aprendizaje empresarial con altos costes financieros.

Por último, hay que tener presente que los fondos involucrados en el negocio tienen un coste de capital, aunque los fondos propios y sus rendimientos no son exigibles en un plazo fijo. Cuando se inicia con recursos propios, lo obtenido por coste de capital debe ser equivalente a lo que se ganaría si se colocaran esos recursos en otras opciones del mercado.

Si se decide iniciar un negocio mediante endeudamiento, el coste de estos recursos debe ser el resultado de aplicar la tasa de interés efectiva, incluidas las reciprocidades pactadas para obtener los fondos.

Aunque cada proyecto tiene características especiales, es deseable iniciar con un endeudamiento bajo, puesto que los costes financieros (intereses pagados) elevan el punto de equilibrio de tesorería, y es bien sabido que los negocios nuevos requieren un plazo prudencial para alcanzar autonomía financiera. Sólo queda agregar que la mayoría de negocios se quiebran por falta de liquidez, más que por falta de rentabilidad.

Según lo anterior, el empresario en su función financiera –consecución de fondos y aplicación de los mismos– debe manejar tres aspectos:

- Liquidez
- Rentabilidad
- Solvencia

10.3.1 Liquidez

Todo negocio necesita efectivo para pagar sus cuentas, por lo que debe asegurar su capacidad para generar fondos y así cumplir con las obligaciones que adquiera. Del mismo modo, esa disponibilidad de efectivo será el soporte para atender salidas para compras, adquisición de activos, pagos de gastos generales, etc.

Los fondos de las empresas provienen principalmente de las ventas al contado, de los ingresos de las cuentas por cobrar y, de ser necesario, de las fuentes externas provenientes de capitalización y préstamos.

En forma mecánica, el flujo de efectivo de un negocio podía compararse con un flujo hidráulico similar al del gráfico que aparece a continuación:

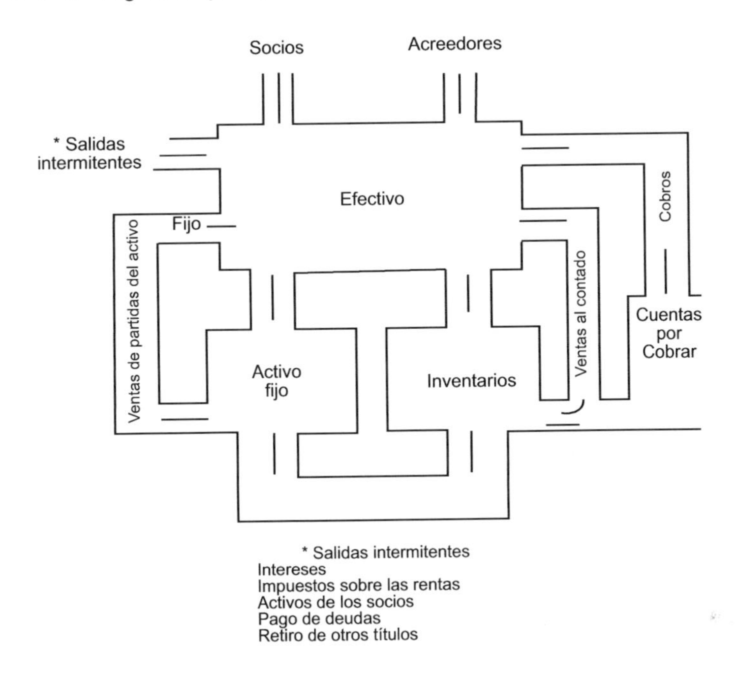

Gráfico 10.2. Flujo de fondos en la empresa

La liquidez del negocio normalmente está dada por la comparación entre los activos corrientes (cuentas realizables antes de un año), frente a los pasivos corrientes (obligaciones para atender antes de un año).

Para que una empresa sea tenga liquidez, los activos corrientes deben ser mayores que los pasivos corrientes, pero hay que recordar que teóricamente una compañía puede tener dos veces en activos corrientes el valor de sus pasivos corrientes; no obstante, su capacidad de pago puede ser limitada.

Cabe reiterar que un negocio en situación de iliquidez puede llegar a la quiebra, así sea el negocio más rentable del mundo.

HERRAMIENTAS EMPRENDEDORAS

En el cuadro se puede observar el estado de los activos y los pasivos corrientes de una hipotética empresa:

ACTIVOS CORRIENTES	PASIVOS CORRIENTES
Bancos 20.000 €	Cuentas por pagar 50.000 €
Cuentas por cobrar 200.000 €	Obligaciones bancarias 200.000 €
Inventarios 280.000 €	
Total activo corriente 500.000 €	Total pasivo corriente 250.000 €

Como puede verse, el total de los activos corrientes es el doble del de los pasivos corrientes, lo que permite afirmar que por cada euro que la compañía debe a corto plazo, cuenta con dos que la respaldan. Aritméticamente es cierto, pero en la práctica financiera no.

Podría afirmarse que en el desarrollo normal de un negocio las cuentas por cobrar y los inventarios se inclinan por los saldos promedio de comportamiento fijo, puesto que dependen del nivel de operación de la empresa. Entonces, en el caso de la empresa hipotética, para cumplir con las obligaciones a corto plazo habría que utilizar parte de las cuentas por cobrar y de los inventarios, a cambio de provocar un efecto en las ventas.

Con este suceso se reitera la importancia de examinar la composición de las cuentas corrientes (activas y pasivas), para el manejo del tema fundamental de la liquidez.

10.3.2 Rentabilidad

La razón principal para iniciar un negocio es aumentar el patrimonio de sus dueños mediante el crecimiento de las inversiones hechas.

Eso es posible mediante la generación de utilidades de la empresa, y precisamente el grado de productividad de los recursos invertidos equivale a la rentabilidad del negocio.

Esos beneficios son el resultado de las políticas y estrategias que define el empresario y pueden medirse en las siguientes áreas:

10.3.2.1 Rentabilidad/Ventas

Es la resultante del cociente de utilidad neta operacional y las ventas. Todo empresario tiene un valor esperado de la rentabilidad sobre ventas que depende del tipo de negocio.

10.3.2.2 Rentabilidad/Inversión

Es el mismo potencial de utilidad. Mide el rendimiento de los activos incorporados en el negocio y puede expresar así:

$$\frac{\text{UTILIDAD NETA}}{\text{VENTAS}} \times \frac{\text{VENTAS}}{\text{ACTIVOS}}$$

HERRAMIENTAS EMPRENDEDORAS

Supóngase que una empresa tiene un activo total de 400.000 euros y ventas por 1.000.000 euros. Su utilidad neta después de pagar impuestos es de 40.000 euros.

En este ejemplo, la rentabilidad/ventas es del 4% y la relación entre ventas y activos es de 2,5, de lo que se deduce que la rentabilidad/inversión es del 10% (4% por 2,5 = 10%).

Es evidente que el éxito de elevar el rendimiento sobre la inversión puede lograrse al aumentar la utilidad en ventas o, a su vez, puede incrementarse mediante un aumento en las ventas si se sostienen los mismos activos.

Un enfoque práctico de lo expresado se puede encontrar en el cuadro sinóptico del sistema, aplicado desde hace muchos años por la empresa Dupont de los Estados Unidos:

HERRAMIENTAS EMPRENDEDORAS *(cont.)*

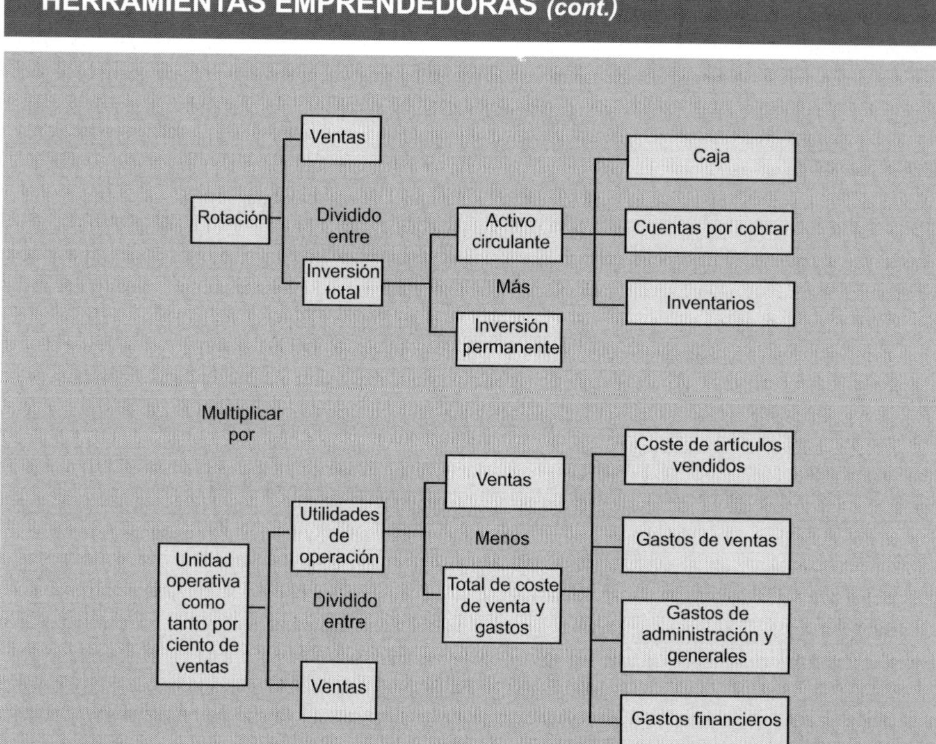

Gráfico 10.3. Sistema Dupont de medidores

Al reemplazar en el cuadro los activos por el patrimonio se podría medir el rendimiento sobre el capital propio, que es la forma de valorar la productividad del esfuerzo financiero de los empresarios.

Si para el ejemplo anterior el patrimonio es de 200.000 euros, la rentabilidad sobre patrimonio sería:

$$\frac{1.000.000}{200.000} \quad 4\% \times 5 = 20\%$$

10.3.3 Solvencia

La solvencia permite medir la proporción de fondos que ha sido aportada por los acreedores de la empresa frente a los recursos propios y sirve, entre otras, para sopesar el nivel de endeudamiento. Puede determinarse mediante el cociente entre pasivos totales/ activos totales.

Con base en los datos del ejemplo expuesto, si el activo total es de 400.000 euros y el patrimonio es de 200.000 euros, por diferencia, el pasivo total es de 200.000 euros; lo que en otras palabras indica que la constitución de la empresa cuesta 400.000 euros, de los cuales 200.000 euros se aportarán como capital propio y los 200.000 euros restantes procederán de algún tipo de crédito.

Señalar cuál es el índice de endeudamiento ideal depende de cada actividad y de cada tipo de negocio, aunque algunos autores señalen que lo ideal podría ser el 50%, lo que hace que el riesgo se comporte en porciones iguales entre socios y terceros.

Sin embargo, se recomienda que para un negocio nuevo el endeudamiento sea menor, ya que los costes financieros que se generan por una obligación crediticia aumentan los costes fijos del negocio y, por ende, su punto de equilibrio. Aprender a ser empresario con el dinero ajeno no parece ser una práctica muy recomendable.

Teóricamente todos los recursos que se involucran en un negocio tienen un coste de capital: los pasivos por la tasa de interés que se haya convenido, y el capital propio por la tasa de oportunidad que pudieran tener los socios en diversas alternativas de inversión. Sin embargo, el coste financiero de los pasivos es exigible en un plazo fijo, mientras que el coste de capital propio podría esperar a que el negocio genere utilidad. Si se tienen en cuenta estas consideraciones, será posible diseñar estructuras financieras adecuadas y aprovechar las opciones de financiamiento existentes.

Una opción de financiación no muy utilizada en Colombia es la conocida como recursos de capital-riesgo, que consiste en incorporar socios capitalistas a la aventura empresarial evaluada como factible. Esta posibilidad ofrece muchas ventajas para el nuevo empresario, ya que es posible convertir el coste de capital fijo –cuya financiación equivale al que genera un crédito– en un coste de capital variable, por ser el financiero socio del proyecto empresarial.

10.4 MANEJO DE TESORERÍA

Se ha recalcado que la liquidez de la nueva empresa es un factor determinante para la consolidación financiera. No es suficiente que un negocio sea rentable si no tiene la capacidad de generar el efectivo que le permita cumplir oportunamente con sus obligaciones.

Una de las responsabilidades del empresario es establecer el equilibrio que garantice la liquidez y la rentabilidad del negocio. Sin embargo, en los comienzos de la gestión, el rendimiento puede dilatarse según la expectativa del empresario, mas no ocurre así con la liquidez de la empresa.

Un inadecuado manejo de tesorería puede conducir a situaciones de falta de liquidez que generen una falta en los pagos y conviertan un negocio rentable en un negocio con pérdidas.

Estas consideraciones plantean rigor en el manejo de los ingresos y egresos, lo que puede lograrse mediante la planificación de la tesorería, al poseer un presupuesto de caja.

10.4.1 Presupuesto de caja

Con el objeto de prevenir errores financieros, es esencial mirar el futuro del flujo de ingresos y gastos de efectivo. No puede atenderse ninguna operación, a menos que se sepa cuál es la fuente de dónde va a provenir el dinero.

Ningún negocio está en capacidad de estimar cuándo y durante cuánto tiempo necesitará efectuar préstamos, a menos que se haga el intento de proyectar lo estimado por ingresos y gastos en efectivo, ya sea mensual o trimestralmente.

El registro de flujo de caja se inicia con la anotación de la cantidad disponible de efectivo que se tiene al principio del período, a lo que se añade el total de todos los ingresos estimados para el período; se deducen los gastos valorados igualmente para dicha temporada, y así se llega al saldo de caja, ya sea positivo o negativo.

Entre las fuentes de ingreso de caja se consideran las siguientes:

- Ventas en efectivo.
- Recolección de cuentas por cobrar por concepto de ventas a crédito.
- Ventas de activos diferentes de inventario.
- Aumentos de capital.
- Préstamos en efectivo de toda índole.
- Intereses y participaciones recibidas.

Para estimar los desembolsos de un período, deben considerarse las siguientes partidas:

- Compras en efectivo.
- Cancelación de cuentas por pagar.
- Pago de gastos.
- Pago de deudas de toda índole.
- Compra de papeles de inversión.
- Pago de intereses e impuestos.
- Retiro de utilidades.
- Compra de activos fijos en efectivo.

Nótese que para estimar los ingresos de un período, se considera como la fuente más importante la constituida por las ventas. Según la política del negocio, la proporción de ventas de contado produce un flujo de efectivo inmediato, mientras que las ventas a crédito, en primera instancia, generan la cartera o cuentas por cobrar, cuyos ingresos en efectivo se percibirán en períodos futuros, dependiendo de los plazos concedidos.

El volumen de ingreso, entonces, puede manejarse según el criterio de cada empresario al establecer los plazos para las ventas: contado, treinta, sesenta o noventa días.

Esto explica que el éxito en la gestión comercial de una empresa no sólo está en colocar el mayor número de pedidos, sino en las condiciones y plazo con que vende.

Para ilustrar lo anterior, supóngase que una compañía vende mensualmente 10 millones de euros, pero a plazos de 30 y 60 días. Los gastos y costes totales de la empresa son de seis millones de euros al mes, lo cual plantea unas utilidades de cuatro millones de euros.

Si de los seis millones de euros de costes y gastos, cuatro corresponden a gastos de funcionamiento y dos a coste de producción, se puede deducir que la necesidad de efectivo de esa organización por lo menos es de cuatro millones de euros al mes, puesto que los salarios y demás gastos de funcionamiento son pagaderos al contado y los costes de producción se puedan pagar a plazos, por tratarse de materias primas suministradas por un proveedor que posiblemente otorgue crédito.

Como se ve, el flujo de caja como herramienta permite anticipadamente visualizar si la idea de negocio que se ha concebido tiene capacidad para generar su propio efectivo o, por el contrario, requiere préstamos a corto o largo plazo. Además, da una dimensión de la viabilidad financiera, acorde con la posibilidad de disponer de recursos propios.

10.5 CURVA DE EXPERIENCIA

El efecto de la *curva de experiencia* se puede formular de la siguiente manera: el coste del valor añadido de un producto disminuye en un porcentaje constante cada vez que se duplica el número de unidades producidas de dicho producto[18].

El antecedente de este concepto fue el de curva de aprendizaje, planteado en 1925, aplicado con gran eficacia a la fabricación de aviones durante la Segunda Guerra Mundial y posteriormente a la de electrodomésticos. Su postulado concluía que el aumento de la productividad se genera a través de la experiencia acumulada.

El efecto de aprendizaje fue fácilmente observable y estableció que la mano de obra necesaria para fabricar un producto disminuye entre un 10% y un 15% cada vez que se duplica el número de unidades manufacturadas. Se trata de un efecto muy limitado por referirse únicamente a la mano de obra.

El concepto de curva de experiencia se lanzó por primera vez en 1968 como consecuencia de los trabajos de investigación realizados por el *Boston Consulting Group*.

Mediante esta teoría, más amplia, se pretende explicar el comportamiento del coste total del valor añadido a lo largo del tiempo. La propuesta indica que generalmente los costes declinan a medida que aumenta la producción, así como los productores tienden a hacerse más eficientes a medida que adquieren experiencia al elaborar sus productos. La relación lineal entre el coste y la experiencia acumulada se denominó curva de experiencia.

10.5.1 Comportamiento de los costes

El postulado básico del concepto de curva de experiencia se refiere a la relación entre experiencia, aumento de la eficacia y rendimiento. Plantea, por ejemplo, que la empresa que haya producido más unidades de un artículo, será el productor más eficiente de dicho artículo. La admisión de este postulado conduce a dos consecuencias inmediatas:

- Para competir eficazmente es imprescindible acumular experiencia. Producir muchas unidades de un artículo, sin vender, no tiene sentido; para ser un productor eficiente y competitivo hay que ganar cuota de mercado.

- Todo producto que no alcance cierta cuota de mercado puede estar condenado a fracasar si existen competidores con más experiencia y, por tanto, con menores costes.

18 BOSTON CONSULTING GROUP. *Prospective on Experience.*

Una reducción en los costes de entre un 20% a un 30%, cada vez que se duplica el volumen producido, es típica en la mayor parte de los productos o servicios estudiados.

Sobre el impacto de la curva de experiencia en numerosos productos y servicios se tienen hoy pocas dudas, aun cuando no se ha llegado a establecer una clara relación de causa-efecto. En cualquier caso, no se trata de un resultado que se produce automáticamente, sino que hay que provocarlo. Responde a una serie de acciones tomadas por la empresa, tales como economías de escala, cambios en la tecnología, sustitución de piezas, avances en marketing y distribución, mejora de los procesos administrativos, distribución más eficiente de los gastos fijos, etc.

El efecto de la curva de experiencia se representa en el gráfico 10.4 a continuación. La reducción continua de los costes puede resultar extraña a primera vista; sin embargo, hay que tener en cuenta que lo que se representa en el eje de coordenadas no es tiempo sino volumen (o experiencia) acumulado. Consecuentemente, el número de unidades que es necesario producir para doblar la experiencia e incurrir en una reducción de los costes crece enormemente cuando ya se ha alcanzado un alto grado de experiencia. Por esta razón, el efecto de la curva puede aparecer como insignificante para empresas con productos maduros.

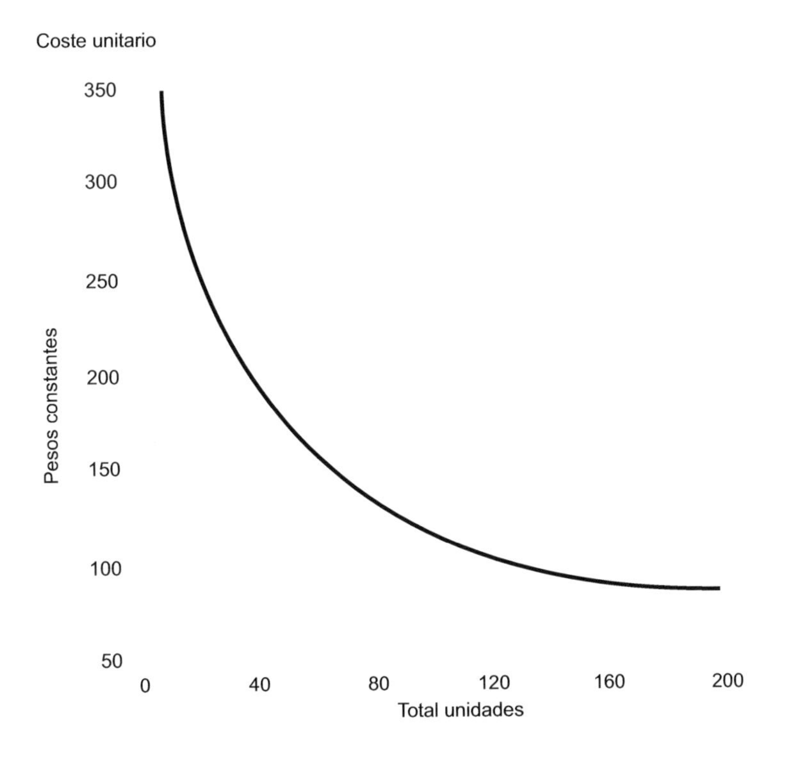

Gráfico 10.4. El efecto de la curva de experiencia

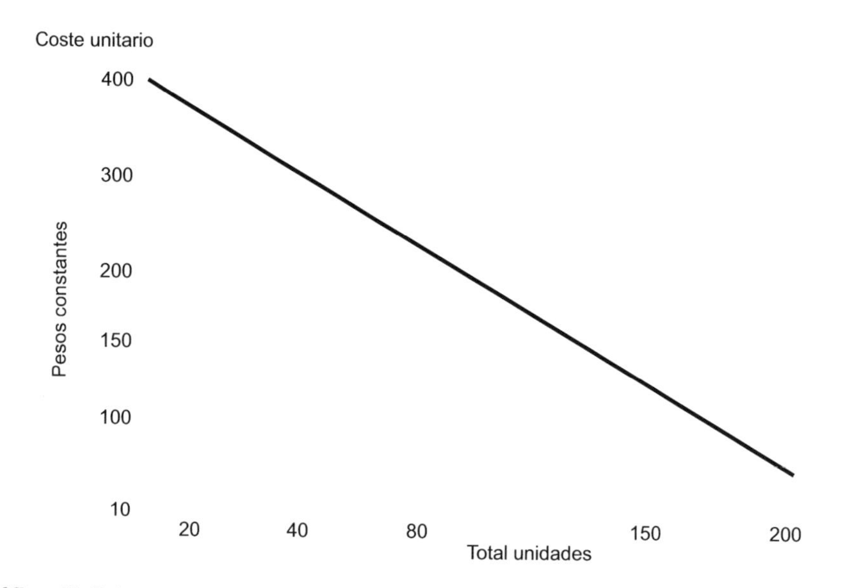

Gráfico 10.5. La curva de experiencia: costes unitarios según el volumen de producción

Al tratar de entender la curva de experiencia y sus efectos, hay que tener en cuenta una serie de ideas fundamentales. Entre ellas:

- Es necesario eliminar la inflación para medir los costes. Es decir, que los costes se miden en unidades monetarias constantes.
- El efecto de la curva de experiencia hace referencia al coste del valor añadido de un producto o servicio. Ahora bien, el valor añadido de un producto implica una serie de componentes: gestión, fabricación, comercialización, etc., en los que se puede tener un distinto grado de experiencia.
- En realidad lo que se presenta es una carrera de distintas empresas a lo largo de la curva de experiencia. La empresa que crece más rápidamente acumula más experiencia y alcanza una ventaja competitiva con sus costes. Puesto que el precio de venta es, en principio, el mismo para todas las empresas, la que tiene menores costes estará en una situación más ventajosa y obtendrá mayores beneficios.
- La experiencia que se adquiere es evidente, pero también esa experiencia se puede comprar.
- El valor de la curva de experiencia como pilar de una estrategia para obtener una ventaja competitiva y crear una barrera que impida la entrada de competidores puede ser diferente en cada caso y depende de los factores que induzcan la

disminución de los costes. Si los costes disminuyen porque al aumentar la capacidad se pueden obtener economías de escalas basadas en instalaciones más eficientes y automatizadas, la experiencia y el volumen acumulado pierden importancia y la empresa con menores costes será la que tenga instalaciones más eficientes.

HERRAMIENTAS EMPRENDEDORAS

En la siguiente figura se presenta una empresa líder que entra en el mercado en 1970 y que en 1987 alcanza la situación de costos que se refleja en el gráfico. Un nuevo competidor entra en el mercado en el año 2000. ¿Con qué costo lo hace?

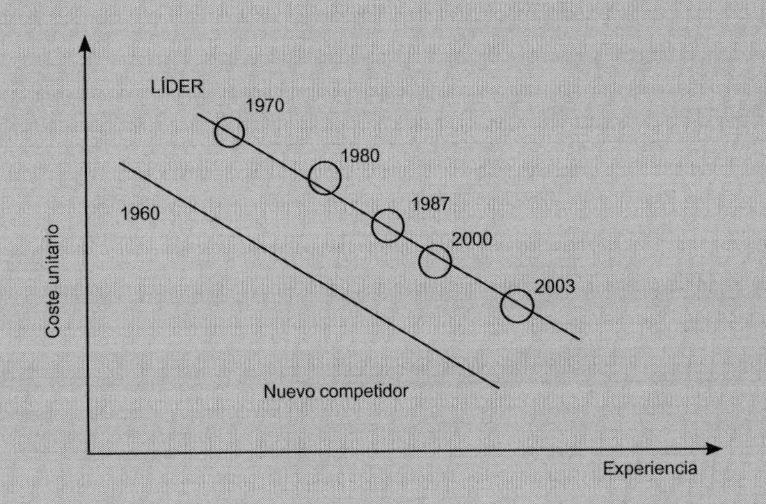

Gráfico 10.6. Curva de experiencia: análisis de dos competidores

Si no adquiere ninguna clase de experiencia, su costo será el que tuvo el líder en 1970. Sin embargo, lo normal es que compre experiencia y que su costo se sitúe entre el que tuvo el líder en 1970 y el que tiene en 2000. ¿Cuál será el costo del nuevo competidor en 2003?

Puede ser menor que el costo del líder y ello va a depender de su crecimiento y de la velocidad con que se mueva a lo largo de la curva de experiencia. La industria japonesa es un ejemplo claro de esta forma de actuar.

10.5.2 El comportamiento de los precios

Si se admite que los costes disminuyen al aumentar la experiencia o el volumen acumulado de producción, la pregunta relevante es: ¿cuál es el comportamiento de los precios a lo largo de este proceso?

En general, las dos políticas extremas de precios se pueden resumir en los siguientes gráficos. En ambos casos se presentan el precio unitario de la industria y el volumen total acumulado. Los costes a que se hace referencia son costes medios de la industria.

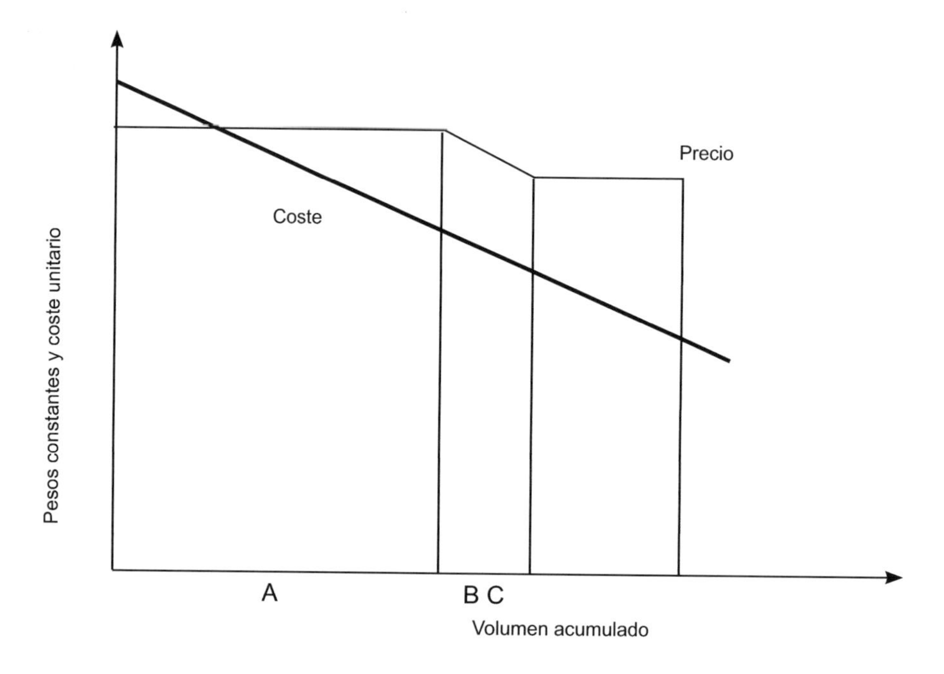

Gráfico 10.7. Comportamiento de los precios y su relación con la curva de experiencia

En la política de los precios del gráfico anterior, se pueden distinguir tres fases:

- En la fase A se mantiene un precio prácticamente constante. Es el de introducción del producto, que inicialmente puede ser incluso menor que el coste.
- En la fase B el precio desciende rápidamente.
- En la fase C el precio tiende a tomar una pendiente similar a la de los costes.

¿Qué ha motivado el comportamiento del precio en la fase B?

El precio alto mantenido en la fase A ha atraído a numerosos competidores y provoca una guerra de precios. En esa guerra muchos competidores desaparecen y se entra en la fase C, en la que las disminuciones en los precios tienden a seguir una pendiente paralela a las disminuciones en los costes.

Lo que se produce en la fase B es una guerra por ganar cuota de mercado –por crecer–.

¿Es el líder que introdujo el producto quien necesariamente gana esa guerra? La respuesta es “no”. Muchas veces no es la empresa introductora la que emerge dominante en la fase C. Se han podido introducir competidores muy agresivos en el mercado, que han ganado su cuota más rápidamente que la empresa líder y son los que llegan triunfantes a la fase “C”.

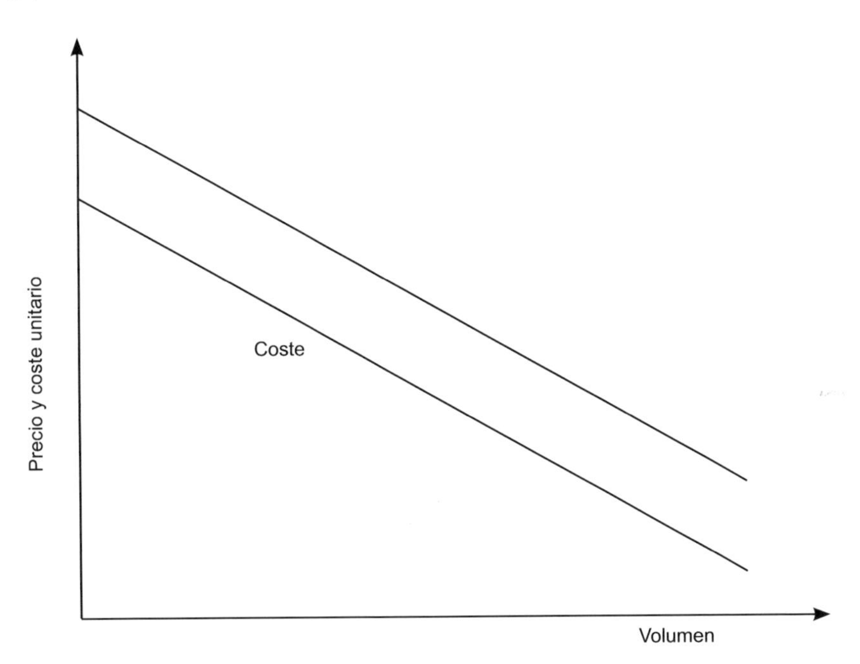

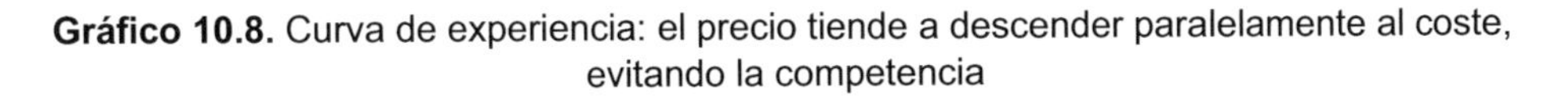

Gráfico 10.8. Curva de experiencia: el precio tiende a descender paralelamente al coste, evitando la competencia

En la política de precios del gráfico 10.8, el precio tiende a descender desde un principio en forma paralela al coste, tratando así de evitar la entrada de competencia.

¿Qué política de precios es mejor? ¿La de la primera o de la segunda figura?

No se puede responder a esta pregunta en términos absolutos. Va a depender del objetivo que se persiga, pero sí conviene tener muy claro cuál es ese objetivo.

Si el objetivo es recuperar rápidamente los costes de investigación, desarrollo y lanzamiento del producto, la política del primer gráfico es más apropiada. Si por el contrario, el objetivo es llegar a la etapa de madurez con una cuota de mercado dominante, entonces, la política del gráfico 10.8 es la más apropiada.

Piénsese que, en un mercado en madurez que crece muy lentamente o que no crece, las posiciones establecidas y las cuotas de mercado son difícilmente modificables. Sólo es posible aumentar la propia cuota con base en la reducción de los competidores, que lógicamente reaccionarán con medidas defensivas, hasta llegar al extremo de fijar un precio inferior al coste, antes que cerrar la empresa. Por otra parte, en un mercado que crece rápidamente es posible ganar cuota de mercado al adueñarse prácticamente de todo el crecimiento, pero se deja que los competidores sigan creciendo a un ritmo parecido al que tenían antes.

Como conclusión se puede decir que un precio de introducción alto es un arma competitiva peligrosa. El margen atrae empresas competidoras que pueden crecer más rápidamente y llegar a alcanzar costes menores.

VOCES PARA LA ACTITUD EMPRENDEDORA

- ¿Cuál será su estrategia para determinar los precios de entrada en su nuevo negocio?

Capítulo 11

TRÁMITES Y OBLIGACIONES DEL EMPRESARIO

Fundar una empresa implica adquirir una serie de responsabilidades y compromisos, cuyo propósito final es lograr el establecimiento de relaciones éticas y respetuosas con la sociedad en la que la empresa se desempeña, con los trabajadores e incluso con el medio ambiente.

Si no se sigue el proceso adecuado, la creación del negocio puede tornarse engorrosa. Por ello se le sugiere al emprendedor que busque una buena asesoría antes de dar inicio a su proyecto.

Aunque los trámites y exigencias varían en cada país y se ajustan a las distintas legislaciones, son tres las áreas que básicamente se deben considerar: los aspectos jurídicos de la empresa, lo concerniente a su desempeño contable y fiscal, y lo referente a las relaciones con los trabajadores, es decir, el ámbito laboral.

11.1 ASPECTOS JURÍDICOS

11.1.1 Constitución de la empresa

Para empezar, es bueno precisar qué es una empresa desde el punto de vista jurídico. La expresión indica *el ejercicio profesional de una actividad económica de mercado, con la finalidad o el objetivo de obtener beneficios (ánimo de lucro) intermediando en el mercado de bienes o servicios mediante la utilización de factores productivos (trabajo, tierra y capital) y con una unidad económica organizada en la cual ejerce su actividad profesional el empresario por sí mismo o por medio de sus representantes*[19].

Se entenderá por empresa toda actividad económica organizada para la producción, transformación, circulación, administración o custodia de bienes, o para la prestación de servicios. Dicha actividad se realizará a través de uno o más establecimientos de comercio.

Según la responsabilidad legal que decidan adquirir los propietarios, el primer paso que se da para constituir la empresa es seleccionar el tipo de sociedad a la que se pertenecerá, de acuerdo con las necesidades de quienes participan en ella. Cabe anotar que la actividad que se va a desarrollar puede condicionar la elección de la forma jurídica.

En ese orden de ideas, una empresa puede ser:

1. **Unipersonal.** Constituida por una persona natural o jurídica que reúne las condiciones para ejercer el negocio y asigna parte de sus activos para la realización de la actividad mercantil.

2. **Colectiva.** Creada por un número reducido de personas que participan en conjunto en los beneficios.

3. **Comanditaria y en comandita.** Este tipo de sociedad tiene dos clases de asociados: los gestores y los comanditarios. Los primeros, cuyo aporte no necesariamente es en dinero, administran y representan la sociedad, y tienen responsabilidad solidaria e ilimitada por las operaciones. Los comanditarios hacen los aportes económicos, no intervienen en la administración de la sociedad y responden por las obligaciones sociales hasta la cantidad de sus respectivos aportes. En la sociedad en comandita simple debe haber como mínimo un socio gestor y uno socio comanditario.

19 Colaboradores de Wikipedia. Empresa. *Wikipedia, La enciclopedia libre*, 2008. Disponible en <http://es.wikipedia.org/w/index.php?title=Empresa&oldid=15575422>.

4. **Sociedad Limitada.** Su razón social se acompaña de la palabra “limitada” o de la abreviatura “Ltda.”. Cada socio responde hasta por el valor de su aporte, pero es posible que todos o algunos asuman una responsabilidad mayor. El capital de la empresa, que se paga en su totalidad al momento de constituir la sociedad, se divide en cuotas o partes de igual valor. Este tipo de sociedades se conforma con dos o más socios; como máximo se admiten 25 socios.

5. **Sociedad Anónima, S.A.** Se constituye con cinco accionistas como mínimo y no tiene un tope máximo participantes. La responsabilidad de cada socio se circunscribe al valor de sus aportes. La representación y la administración de la sociedad recaen en el representante legal y su suplente, quienes pueden ser nombrados por término indefinido y removidos en cualquier tiempo.

6. **Sociedad de hecho.** Forma asociativa cuya existencia no está subordinada al cumplimiento de ninguna formalidad y no se constituye por escritura pública, por lo que no tiene personalidad jurídica. Las partes se obligan a aportar dinero, trabajo u otro tipo de bienes para explotar la actividad comercial, se reparten entre sí las utilidades, y se entiende que los derechos y las obligaciones que se adquieran están a cargo de todos los socios de hecho.

7. **Empresa asociativa de trabajo.** Organización económica productiva, cuyos asociados aportan por tiempo indefinido su capacidad laboral, y algunos aportan tecnología u otros activos que faciliten el cumplimiento de las tareas de la empresa.

Con excepción de las sociedades de hecho, las empresas se constituyen por escritura pública. Los datos básicos que se suministran son:

1. Nombre y domicilio de las personas que intervienen.
2. Clase o tipo de sociedad.
3. Domicilio de la sociedad.
4. Objeto social.
5. Capital social.
6. Forma de administración.
7. Época y forma de convocar la asamblea o la junta de socios.
8. Forma de distribución de las utilidades, con indicación de reservas.
9. Duración de la sociedad y las causas de disolución.
10. Forma de la liquidación.
11. Nombre y domicilio del representante legal de la sociedad. En la escritura se indican sus facultades y obligaciones.
12. Facultades y obligaciones del revisor fiscal.
13. Las demás precisiones que los socios consideren importantes para regular las relaciones del pacto suscrito.

Cuando la sociedad se ha legalizado, constituye una persona jurídica distinta de los socios individualmente considerados. La responsabilidad de cada socio depende del tipo societario elegido. Por eso se insiste en la importancia de analizar lo que se quiere o se necesita hacer antes de tomar cualquier decisión.

Vale la pena aclarar que los socios responden solidaria e ilimitadamente por las obligaciones fiscales y laborales que adquiera la empresa.

11.1.2 Permisos especiales

De acuerdo con la legislación de cada país, es posible que se requieran ciertos permisos para el funcionamiento de una actividad empresarial.

Comúnmente estas obligaciones especiales aparecen, en primer término, en los casos de producción y comercialización de alimentos, medicamentos, productos de aseo o cosméticos.

De igual forma, es posible que la actividad requiera algún tipo de permiso o licencia ambiental, que corresponde a la autorización otorgada por la autoridad competente para la ejecución de una obra o labor. Este tipo de permisos se supedita al cumplimiento de todo lo relacionado con la prevención, mitigación, corrección, compensación y manejo de los efectos ambientales causados o que se puedan causar.

También surgen regulaciones especiales cuando se trata de establecimientos que, de una u otra manera, trabajan con material sujeto a derechos de autor, como obras musicales, material audiovisual, impresos y publicaciones, entre otros.

En todos los ámbitos es inaceptable que el empresario infrinja la ley y responda que no la conocía. Es parte de su responsabilidad pedir y conocer la información correspondiente a todo lo que regula su área y actividad.

11.2 ASPECTOS FISCALES Y CONTABLES

Más allá de ser un instrumento normativo, la contabilidad es la herramienta que suministra al empresario la información requerida para la gestión de la empresa. Además posibilita que clientes, proveedores, trabajadores, y todo aquel que tenga un legítimo interés en conocer cómo actúa el empresario frente a sus compromisos económicos, pueda hacerlo.

La legislación fiscal de cada país o Estado determina con claridad las diferentes obligaciones contables y de información que recaen sobre los empresarios. Esto porque existen diferentes impuestos y regímenes de estimación de beneficios, de acuerdo con el volumen de cada organización y su tipo de gestión administrativa.

Como es lógico, la Hacienda Pública quiere saber de los ingresos y beneficios que recibe el empresario para exigir los correspondientes impuestos; por ello, la contabilidad adquiere también el carácter de obligación fiscal.

Una vez que la empresa se constituye legalmente, debe acudirse a la Hacienda Pública para adelantar los trámites que sean pertinentes.

Generalmente, entre las exigencias solicitadas están los libros de comercio, que incluyen los de contabilidad, los de actas, registro de acciones, comprobantes de cuentas, soportes de contabilidad y la correspondencia relacionada con las operaciones:

- En el Libro Auxiliar de Contabilidad se registra detallada y cronológicamente lo que ocurre con las cuentas principales, los débitos, créditos y saldo que pasa al final de cada período al Libro Diario y al Libro Mayor.

- El Libro de Caja–Diario consigna en orden cronológico las operaciones contables, individuales o resumidas, efectuadas en un período no mayor de un mes.

- El Libro Mayor trabaja con las operaciones por cuentas y establece el resumen mensual de todas las operaciones para cada cuenta.

- El Libro de Inventario y Balance incluye, como su nombre lo indica, desde el inventario y el balance general de inicio de actividades, como los que deben hacerse por lo menos una vez cada año para conocer clara y completamente la situación del patrimonio de la empresa.

- El Libro de Accionistas lleva el registro de las acciones, con su respectivo título, número y fecha de inscripción, al igual que los cambios de propietario.

- El Libro de Actas puede ser de dos clases: el de Asamblea de Socios y el de Junta Directiva. El primero es obligatorio para todas las sociedades; el segundo, para aquellas que posean junta directiva. Ambos consignan las actas de cada una de sus reuniones, las cuales deben estar firmadas por el secretario y el presidente de la reunión.

11.2.1 Actividad económica

Según la actividad que desarrollen, las empresas pueden clasificarse en industriales, comerciales o de servicio.

Las industriales tienen como fin principal la producción de bienes mediante la transformación y/o extracción de materias primas. Pueden ser:

a. **Extractivas:** dedicadas a la explotación de recursos naturales renovables o no, como las empresas mineras, madereras o petroleras.

b. **Manufactureras:** encargadas de transformar materias primas en productos terminados.

Las empresas comerciales actúan como intermediario entre productor y consumidor, y su ocupación principal es la compraventa de productos terminados.

Por último, las de servicio son aquellas que de una u otra manera prestan asistencia a la sociedad, como las empresas de transporte, de servicios públicos, las de asesoría profesional, las de educación, las prestadoras de servicios de salud o las instituciones financieras.

11.3 OBLIGACIONES LABORALES

Todo empresario debe formalizar el vínculo que adquiere con sus trabajadores, según las normas laborales que rijan en cada país. Con ello protege los intereses, deberes y derechos del empleado y de la empresa.

Esa formalización contempla dos aspectos básicos:

11.3.1 El contrato de trabajo

Toda persona que se vincule en calidad de empleado a la empresa debe hacerlo mediante la legalización de un contrato de trabajo, que es un convenio o acuerdo de voluntades mediante el cual una persona natural se obliga a prestar un servicio a otra persona natural o jurídica.

Quien presta el servicio se denomina trabajador, quien lo recibe y remunera, empresario, y la remuneración, cualesquiera que sean su forma, salario.

Aunque son muchas las modalidades de trabajo, siempre es recomendable suscribir un contrato escrito, y ambas partes deben conservar una copia del mismo. Para que surta los efectos esperados, el contrato debe contener, como mínimo, los siguientes datos:

1. Lugar y fecha del contrato.
2. Identificación completa de cada una de las partes: nombre, domicilio, nacionalidad, fecha de nacimiento.
3. Fecha de ingreso del trabajador a la empresa.
4. Naturaleza de los servicios y lugar o ciudad donde éstos han de prestarse. El contrato podrá señalar dos o más funciones específicas.
5. Cantidad, forma y período de pago del salario acordado.
6. Descripción de la jornada de trabajo.
7. Plazo del contrato.
8. Los demás aspectos que las partes consideren pertinentes.

11.3.2 La Seguridad Social

También es responsabilidad del empresario afiliar a los trabajadores, al momento de su vinculación, al sistema de la Seguridad Social. Así se asegura la cobertura por riesgos, enfermedades y accidentes profesionales y personales desde el momento mismo del ingreso hasta el día en que el empleado se retire de la empresa. Lo mismo debe ocurrir con los fondos de pensiones y bajas, donde existan, o las denominadas cajas de compensación y las administradoras de riesgos profesionales.

HERRAMIENTAS EMPRENDEDORAS

En Colombia, por ejemplo, los siguientes son los trámites que debe adelantar el empresario para garantizar la seguridad laboral de sus trabajadores:

1. Tramitar ante las entidades promotoras de salud, EPS, y de fondo de pensiones la afiliación de los trabajadores al Sistema de Seguridad Social y de Pensiones.
2. Inscribirlos ante una Administradora de Riesgos Profesionales, ARP.
3. Inscribirlos a una caja de compensación familiar.
4. Pagar los llamados aportes parafiscales: 3% del valor de la nómina para el Instituto Colombiano de Bienestar Familiar y 2% para el Servicio Nacional de Aprendizaje, SENA.
5. Elaborar el reglamento de trabajo y presentarlo ante el Ministerio de Protección Social.
6. Elaborar el reglamento de higiene.
7. Inscribirse en un programa de salud ocupacional.

VOCES PARA LA ACTITUD EMPRENDEDORA

- Acuda a la Cámara de Comercio del lugar donde usted reside y recopile toda la información que se requiera para la constitución de una empresa.

11.4 GUÍA DIDÁCTICA PARA EMPRENDER

11.4.1 CASO Nº 1. Pinturas Rex[20]

11.4.1.1 La empresa

Pinturas Rex es una cadena de distribuidores de pinturas, fundada en el año 1979 con capitales argentinos. Juan, Arturo y Daniel Alacahan fueron sus gestores y la empresa facturó más de 33 millones de dólares en el año 2006. Cuenta con más de 450 empleados y 43 sucursales propias, repartidas en las ciudades de Buenos Aires, Rosario y Santa Fe.

Pinturas Rex distribuye las principales marcas del mercado, aunque posee la propia, Class, y vende gran variedad de marcas en todas las líneas de productos: hogar y construcción, automovilística, industrial y artística. En su sector, la cadena es líder en ventas en Argentina. Actualmente, despacha entre 9 y 11 millones de litros anuales de pintura, del total de los 135 millones de litros del mercado argentino.

2007 fue para Rex una etapa de consolidación del crecimiento sostenido que tuvo en los últimos seis años, con base en la formación, profesionalidad de procesos, desarrollo y crecimiento interno. El objetivo, además de satisfacer a sus distintos tipos de clientes, fue mejorar la rentabilidad, los costes y la productividad.

11.4.1.2 El origen

El negocio surgió en 1979, cuando Juan, el mayor de los hermanos, decidió fundar una empresa distinta de la de su familia, que se dedicaba a la confección y venta de ropa de

20 Preparado por el profesor Marcelo Barrios, de EDDE-Escuela de Dirección de Empresas, Buenos Aires, Argentina, 2007.

cuero. Recibió todo el apoyo de su padre y con el tiempo se incorporaron sus otros dos hermanos.

"Es una empresa familiar de primera generación conformada por tres hermanos, y fue fundada en 1979 por mi padre. Él se volcó a este ámbito porque era un negocio rentable, con productos no perecederos, y su desarrollo era bastante escaso. Así mismo, un amigo se ofreció para echarnos una mano en la formación", recuerda Daniel Alacahan, actual director general de la compañía.

11.4.1.3 Claves del proceso de iniciación

Un elemento clave fueron los valores transmitidos por el padre de los hermanos Alacahan. "Nuestro padre fue un pilar fundamental en esta historia, desde un primer momento brindó todo su apoyo y experiencia comercial para que el proyecto se concretara. Con el correr de los años, nos dimos cuenta de la importancia de aquella unión familiar que él siempre pregonaba", dice Juan, el mayor de los hermanos.

En segundo lugar, y de acuerdo con los valores transmitidos por el padre de los hermanos Alacahan, se encuentra el establecimiento de los objetivos y el enfoque de la empresa desde sus primeros años:

- **Enfoque:** en el ámbito nacional, ser el canal líder de distribución de pinturas y afines. (De por sí, esto es un verdadero desafío).
- **Objetivo:** debemos tener el capital humano emocionalmente comprometido con la mejor atención a nuestros clientes, quienes deberán sentir que los valoramos mejor.
- **Los valores:** vocación de atención al cliente, humildad, austeridad, creatividad, valor en equipo, honestidad e integridad, respeto, buen humor y excelencia.

11.4.1.4 Crecimiento de la empresa

La primera empresa de pinturas abrió sus puertas en abril de 1979, en el barrio de Boedo de la Ciudad de Buenos Aires.

La primera expansión importante fue en 1982, cuando se abrió el local ubicado en Av. San Juan 3266 –actualmente la división automovilística– que hizo variar la estructura actual de la empresa. Fue en esa época cuando se incorporan colaboradores para el área de ventas que aún pertenecen a la empresa.

El año 1992 fue el despegue de la empresa, ya que se se abrió una sucursal fuera del barrio de origen.

Durante los años posteriores fueron varias las inauguraciones, pues se abrieron nuevas sucursales. A principios de 2000, Pinturas Rex contaba con más de 20 locales propios.

En marzo de 2005 se incorporaron las 12 sucursales establecidas en las ciudades de Rosario y Santa Fe, gracias a la adquisición de la cadena El Escorial.

11.4.1.5 Claves del éxito

1. Toma de decisiones

Un elemento clave en el proceso de iniciación fue la toma de decisiones. "Entonces el progreso era lento, pero sobre pasos seguros: las metas se planteaban día a día, sin pensar demasiado en el futuro. En ese proceso de crecimiento, la gente que componía la estructura fue un factor clave. Cada uno de los integrantes del equipo de trabajo compartió nuestra filosofía y se comprometió con aquel proyecto original", dice Arturo, uno de los tres directores de la empresa.

En el sector, más allá de las principales cadenas, existen muy pocos empresarios que se han especializado en el control administrativo. "Son pocas las casas distribuidoras de pinturas que lograron hacerlo. Al ser todas empresas familiares, la mayoría no supo armar una segunda generación que continuara con el negocio original, y no hay incursión de empresas multinacionales", subraya uno de los hermanos Alacahan.

2. La estrategia

La empresa se diferencia de sus competidores por la atención personalizada y el afán de brindar soluciones. La constante vocación por generar beneficios para el cliente la llevó a ser la primera en ofrecer un nuevo servicio: la entrega inmediata, a domicilio y sin cargo.

"Hemos tenido como objetivo primordial satisfacer a los clientes en todos sus requerimientos y expectativas. Tratamos de que nos vean como una cadena que busca la excelencia en lo que respecta a la atención, y como los que más sabemos en pintura, por eso invertimos mucho en la formación del personal", agrega Alacahan.

Además, apuntan a ofrecer "la mayor variedad de marcas de pintura del país". A la vez, poseen un servicio de pre y posventa, una línea 0-800, y venta telefónica con entrega a domicilio, entre otros servicios.

3. Recursos humanos

Por otro lado, el éxito estuvo dado por la importancia de los recursos humanos. En la actualidad Pinturas Rex sigue apostando por sus ideales: focaliza sus planes de mejora continua en la formación, tanto de sus comerciales como de sus clientes.

Desde aquellos primeros años hasta 2007, el desarrollo de Pinturas Rex tuvo como objetivo primordial satisfacer a los clientes en todos sus requerimientos y expectativas. El eslogan de la organización, "Lo atendemos mejor", no es un mero enunciado, sino la promesa que cumplen todos los que integran la empresa.

"La perdurabilidad del liderazgo de Pinturas Rex lleva el sello indiscutible del trabajo intenso, la creatividad y flexibilidad para generar respuestas rápidas y eficientes. Esto es posible gracias a la labor diaria de nuestra gente, que ha sido desde los inicios la pieza clave del éxito en la empresa —asegura Daniel, a cargo de la Gerencia General—. Pinturas Rex cuenta con 450 empleados, con quienes mantiene una constante comunicación. La capacitación y actualización constante es el objetivo de Rex, para poder brindar al asesor o arquitecto la mayor cantidad de herramientas necesarias a fin de guiar objetivamente al cliente y ayudarlo a resolver sus necesidades" [21].

VOCES PARA LA ACTITUD EMPRENDEDORA

- Caracterice el perfil emprendedor de los dueños de ésta empresa.
- Según la actividad que desarrolla, a qué clase de empresa pertenece Pinturas REX.
- Examine el rol de la gestión de los recursos humanos en este proyecto de empresa.
- Identifique cinco decisiones claves que hayan contribuido al desarrollo y crecimiento de este negocio.

21 Fuentes
http://www.clarin.com/diario/2005/04/26/elpais/p-01803.htm
http://www.hostnews.com.ar/2006/prov/mar/010202.htm
http://www.clarin.com/suplementos/pymes/2007/03/05/y-01371219.htm

11.4.2 CASO Nº 2. Biggys Pop Corn[22]

"Hay palomitas de maíz en el aire"... apenas uno entra en la fábrica de Biggys no quedan dudas de que eso es lo que fabrican dos hermanos y su tío para llevar "la experiencia del cine al hogar". En poco menos de dos años el resultado de lo emprendido se posicionó en más de 700 videoclubes de Argentina, alcanzó una facturación de 200 mil dólares anuales y llegó a su punto de equilibrio.

Germán y Nicolás Camero, y su tío Eduardo Debiase, son los primeros fabricantes de palomitas de maíz listo para consumir de Argentina. Los hermanos, de 29 y 24 años, respectivamente, empezaron a delinear el proyecto en 2005, tras reconocer que en la Argentina, el principal exportador de maíz pisingallo (materia prima base de las palomitas de maíz), no había empresas dedicadas a agregarle valor al producto.

El mercado ofrecía palomitas de maíz para microondas que solía quemarse y el grupo de emprendedores vio la oportunidad de trasladar la experiencia del cine al hogar con un producto siempre fresco; algo más cómodo y económico.

"Hoy en Argentina ir al cine para cuatro personas supera fácilmente los 35 dólares, mientras que alquilar una película en DVD cuesta unos dos dólares y cada bolsa de palomitas de maíz, un dólar", destacó Germán, quien vio la oportunidad en orientar su proyecto hacia esa propuesta de valor.

Según los emprendedores, el negocio se armó casi "naturalmente", basado en los conocimientos y experiencias de sus fundadores en temas relacionados con el proyecto, sin que ninguno hubiese trabajado previa y directamente en la producción de palomitas de maíz.

Nicolás distribuía maíz pisingallo y representaba una de las principales firmas del país, por lo que conocía perfectamente el precio y la situación del mercado de la materia prima base. Eduardo Debiase, técnico industrial, fabricaba máquinas y fue el encargado de reciclar y adaptar equipos a fin de disminuir hasta donde fuera posible la inversión inicial. Germán, por su parte, hizo el aporte comercial y financiero, dada su formación como economista, con una clara orientación al mercado.

"Estudiaba economía en la universidad y por poseer un buen promedio de calificaciones fui seleccionado para un programa de detección temprana de talentos. Ahí nos ayudaron con el plan de negocios y nos asesoraron durante todo el proceso. El tema era que no había una experiencia similar y no teníamos a quién copiar", recordó Germán, al evocar sus inicios.

22 Preparado por el profesor Esteban Mancuso, MBA, Centro Entrepreneurship de la Universidad Argentina de la Empresa, UADE, 2007

El trío inicialmente compró dos máquinas para palomitas de maíz y durante seis meses experimentaron cómo lograr el mejor producto. Para lograrlo, pasaron noches enteras en la cocina y probaron una y otra vez con varios amigos como "catadores", en busca de "las más ricas palomitas de maíz".

El capital inicial fue de 30 mil dólares y provino de amigos y familiares. No buscaron inversores de capital de riesgo que aportasen dinero, sino socios estratégicos que aportaran conocimientos, contactos y tecnología, algo que posee un coste monetario mucho menor y permite no perder parte del paquete accionario.

Los emprendedores recalcan que siempre tuvieron el apoyo de todos sus amigos y familiares y eso ha sido, según sus propias palabras, una de las claves del éxito. Una situación destacada fue la de un amigo que les prestó un apartamento pequeño en Buenos Aires para comenzar a producir. Todas las noches, el trío se dedicaba a elaborar y envasar palomitas de maíz, porque en ese horario no molestaban a los vecinos del edificio.

Luego llevaban las bolsas a sus amigos para que probaran y fueron cambiando los ingredientes hasta lograr que las bolsas quedaran completamente vacías. Por fin, llegó el momento y los emprendedores entendieron que habían logrado las palomitas de maíz más ricas, capaces de "no empalagar a nadie".

Con la fórmula justa, los fundadores de Biggys diseñaron paquetes de 60 y de 120 gramos y salieron a vender el producto con las variedades de dulce vainilla y salado manteca. En poco tiempo alcanzaron un lugar en "las cadenas más importantes" y su proyecto obtuvo la facturación ya mencionada.

La empresa que crearon posee un gran desarrollo de marketing y sorprende por la aplicación de políticas comerciales muy usadas en los últimos 30 años por negocios de consumo masivo, pero adecuadas al producto y modelo de negocio.

El crecimiento les permitió dejar el apartamento prestado y montar una planta en Palermo (Buenos Aires), en la que hoy trabajan seis personas.

14.4.2.1 Barreras de entrada

La marca se posicionó como las palomitas de maíz oficiales de la Cámara de Videoclubes de la República Argentina, lo que ayudó a que la empresa llegara al interior del país.

"Nuestra clave es que siempre estamos atentos al cliente y a los locales. Es más, nuestro primer envase no dejaba ver el producto y lo cambiamos cuando un cliente lo confundió con uno de galletas de arroz. Además, sólo usamos marcas de primera en las materias primas", recordó Nicolás.

La otra piedra fundamental del proyecto fue la posibilidad de ofrecer un producto siempre fresco, ya que la empresa se hace cargo de la reposición en forma gratuita si se supera el mes en exhibición.

En la fase de iniciación le aconsejaron a los emprendedores que buscaran establecer barreras de entrada para nuevos competidores, y lo hicieron al implantar determinadas acciones como ofrecer un envase con alto impacto visual y personalizar el trato con sus clientes. Este modelo de negocio demostró empíricamente ser mucho más fuerte que un descuento o promoción.

Las medidas tomadas dieron sus frutos, pues las cuatro firmas que aparecieron como potenciales competidores no los afectaron en sus ventas y consiguieron mínimas participaciones en el mercado.

Actualmente los emprendedores quieren abrir el juego y suben la apuesta. Por ello se encuentran desarrollando su versión de palomitas de maíz para microondas, lo que les permitirá ganar consumidores en mercados del exterior a los que es imposible llegar con un producto fresco por cuestiones de coste logístico y la caducidad del producto. Por otro lado, en el mercado local presentarán dos nuevos sabores de maíz preparado y lanzarán productos sustitutos de las palomitas de maíz, con el fin de expandirse a otros canales de distribución y explotar aún más los existentes.

VOCES PARA LA ACTITUD EMPRENDEDORA

- Identifique dos oportunidades de negocio en las que pueda aplicar por analogía el modelo innovador de Biggys.
- Diseñe la cadena del valor para este caso e identifique los aspectos clave que permitirian emprender nuevos proyectos.
- Si deseara crecer, y según las regulaciones del país donde usted reside, diseñe el plan para convertir a Biggys en una franquicia.

UNIDAD 4

EL PLAN DE NEGOCIO

► Capítulo 12. EL PLAN DE NEGOCIO

OBJETIVOS

1. Proporcionar las herramientas fundamentales para elaborar el plan de negocio de una empresa.
2. Proveer los conceptos fundamentales para comprender la importancia y la necesidad de contar con un adecuado plan de negocios.
3. Describir cada una de las partes que conforman el plan de negocio.

INTRODUCCIÓN

La cuarta unidad de este libro se dedica a la formulación de todas las preguntas que permiten analizar un nuevo proyecto en toda su dimensión. Se trabaja en dos bloques que constituyen las áreas de apoyo clave para quien desea presentar un proyecto empresarial.

- El plan de negocio extenso
- El resumen o sumario ejecutivo

Tradicionalmente, cuando se trabaja esta área, se expone en primer lugar lo concerniente al resumen ejecutivo, instrumento metódico de aproximación al plan de empresa que permite ofrecer una visión global del negocio a los posibles inversores y/o socios. Por razones metodológicas, en este texto, se aborda al inicio del tema el formato extenso del plan, que suministra un análisis pormenorizado de todos los aspectos que se deben considerar y con ello reduce significativamente cualquier riesgo inherente a la creación de la empresa.

Capítulo 12

EL PLAN DE NEGOCIO

Alicia: -¿Quieres decirme cuál es el mejor camino?
Conejo: -¿Qué rumbo llevas?
Alicia: -No tengo rumbo.
Conejo: -Entonces, cualquier camino es bueno[23].

Sería un error pensar que la actitud de Alicia es la de una persona emprendedora, pues quien considere que puede dar vida a una empresa debe tener presente que su éxito depende en gran medida de saber a ciencia cierta para dónde va.

Con sobrada razón se afirma que el plan de negocio es para el emprendedor lo que el mapa es para el viajero, el plano para el arquitecto o la historia clínica de un paciente para el médico. Sin él, la posibilidad de disiparse es enorme, así como el riesgo de perder la inversión, el tiempo y la ocasión de explotar adecuadamente una idea.

NOTA:

El plan de negocio es una herramienta, un instrumento, al servicio del emprendedor, que apoya el proceso de crear una empresa.

23 CARROLL, Lewis. *Alicia en el país de las maravillas.*

Desde el punto de vista empresarial, una idea por sí sola no tiene ningún valor. Es necesario probarla, saber cuáles son sus oportunidades en el mercado, establecer su viabilidad económica, sus posibilidades y requisitos tecnológicos, su aporte como elemento innovador.

Ahora bien, la planificación de negocios no tiene ninguna relación con pretender adivinar el futuro de la empresa. Se trata, eso sí, de construirla. Ya se ha dicho que una empresa o persona es hoy el resultado de lo que se ha hecho o dejado de hacer; por lo tanto, lo que esa persona o empresa sea mañana será el resultado de lo que haga o deje de hacer a partir de ahora. Es posible deducir que esa afirmación hace referencia a las decisiones tomadas o no tomadas.

En ese orden de ideas, precisamente el plan de negocio pretende ser una herramienta para tener un rumbo intencionalmente definido por el emprendedor, para construir el futuro a través del proceso decisorio. Además, el instrumento apropiado para caracterizar un proyecto de empresa es el plan de negocio, que integra todas las premisas y concepciones que el futuro empresario pretende desarrollar.

Hay dos esquemas en la presentación del plan de negocios: el resumen ejecutivo y el formato extenso, que soporta todo el rigor metodológico.

HERRAMIENTAS EMPRENDEDORAS

El plan de negocios debe:

1. Determinar objetivos a corto y mediano plazos.
2. Delimitar diversos períodos para evaluar cómo va la obtención de resultados.
3. Describir con precisión los resultados finales deseados.
4. Fijar los criterios de medición y así determinar cuáles son los logros.
5. Señalar lo que se considera como una posible oportunidad para explotarla adecuadamente.
6. Implicar en su diseño a todas las personas que tiene relación con la ejecución del plan.
7. Tener una cabeza visible, que coordine y sea responsable de la ejecución del plan.
8. Anticipar los obstáculos que puedan aparecer y adelantar las posibles medidas correctivas.
9. Tener suficiente información y exponerla de forma clara y concisa.

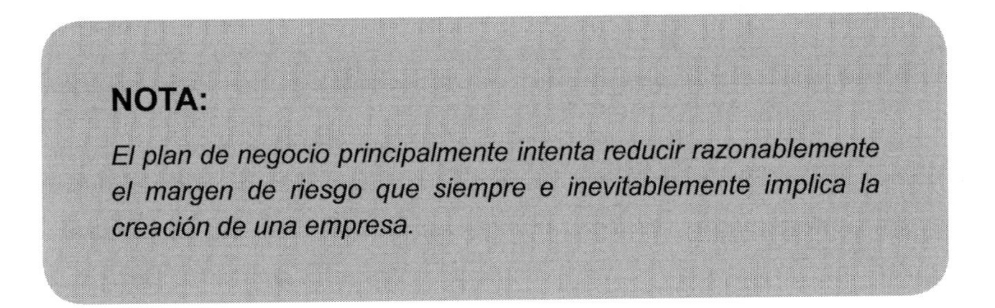

NOTA:

El plan de negocio principalmente intenta reducir razonablemente el margen de riesgo que siempre e inevitablemente implica la creación de una empresa.

Una interpretación gráfica del plan de negocio y sus dos esquemas podría ser la siguiente:

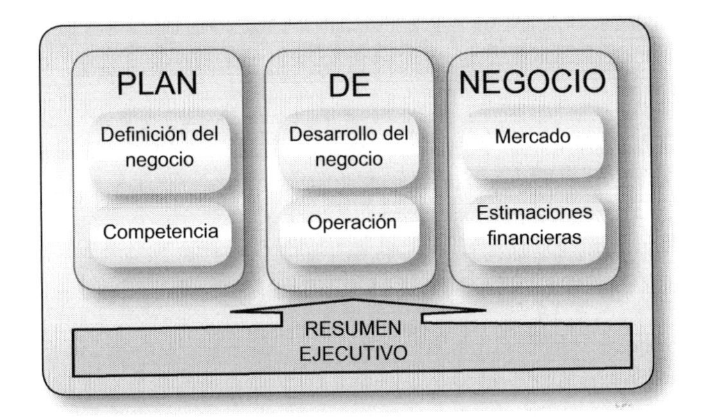

Gráfico 12.1. Interpretación del plan de negocio

12.1 PLAN DE NEGOCIO EXTENSO

Para efectos del modelo que se utiliza en esta obra, se va a considerar que el plan de negocio está compuesto por los siguientes elementos:

1. Definición del negocio
2. Desarrollo del negocio
3. Mercado
4. Competencia
5. Operaciones
6. Estimaciones financieras

Cada elemento es como la pieza de un rompecabezas; hasta que cada una no esté en su lugar, lo representado, en este caso la empresa, no estará completo.

12.1.1 Definición del negocio

Puede parecer muy obvio y sorprendente, pero en más de una ocasión el plan de negocio y, por consiguiente, la empresa, fracasan porque no se sabe expresar claramente lo que hace o se explica de forma muy vaga. También se describe lo aparente y la verdadera esencia de la empresa, que es otra muy distinta, se diluye hasta perder la índole del proyecto. Para probar lo anterior sólo hay que recordar el caso de la industria cinematográfica, que no vende películas sino diversión, o el de los fabricantes de cosméticos y maquillaje, que no venden sombras para ojos ni cremas faciales sino belleza y eterna juventud. Esos casos son un poco abstractos, pero en el terreno de lo concreto, de igual manera se dan.

En la página Ideas para *PyMes de Proméxico* se relata esta sorprendente historia:

Uno de los ejemplos más representativos sobre la importancia en determinar la naturaleza del negocio en el que estamos es el caso de McDonald's. Si yo le pregunto: ¿En qué negocio cree que está McDonald's?... ¿qué me respondería?... ¿hamburguesas?... ¿comida rápida?... incorrecto; el negocio real de McDonald's está en los bienes raíces. La historia registra que McDonald's nace en 1954 y para 1960, Ray Kroc, el fundador de esta franquicia, había logrado expandir su negocio a más de 200 sucursales, logrando 75 millones de dólares en ventas anuales, pero solamente 159,000 dólares en utilidades; en resumen: ganaba solamente el 0,02% por lo que la quiebra financiera estaba a la vuelta de la esquina.

Abrumado por su situación, Ray Kroc decidió hacer un cambio estratégico: en lugar de vender la franquicia y permitir que el cliente eligiera la ubicación del local, McDonald's compraría los terrenos previamente y se los alquilaría de por vida a los franquiciados para que establecieran su sucursal. De esta manera, además de tener mayor control sobre la franquicia y cobrar regalías sobre las ventas, recibirían un alquiler permanente sobre la propiedad, y si la franquicia cerraba, siempre podrían vender el inmueble y recuperar el dinero. Esto hizo toda la diferencia. Hoy en día, McDonald's tiene más de 30.000 millones de dólares en bienes raíces por todo el mundo, con más inmuebles que cualquier otra organización gubernamental o no gubernamental en el planeta. El saber determinar en donde estaba la ganancia real, le permitió a McDonald's convertirse en el emporio que conocemos hoy en día[24].

> **NOTA:**
>
> *Una empresa puede fracasar porque falló al describir claramente lo que hace.*

24 http://www.ideasparapymes.com/contenidos/naturaleza-negocio-ventaja-diferencial-crecre-tu-pyme.html

Como es lógico, definir el negocio debe ser el primer paso que da el emprendedor y para ejecutarlo con éxito debe incluir en su exposición la información referente a la naturaleza del negocio, definición del producto, estructura del sector industrial, estrategia y posicionamiento, y contexto de desarrollo.

Gráfico 12.2. Definición de un negocio

HERRAMIENTAS EMPRENDEDORAS

A continuación figuran las preguntas que al responder permiten definir clara y concretamente el negocio que pretende crear:

1. ¿En qué consiste el negocio?
2. ¿Cuáles son sus características principales?
3. ¿Qué se hace y para quién?
4. ¿Qué producto o servicio se ofrece?
5. ¿Qué es el producto y qué no es?
6. ¿Por qué y para qué se necesita este producto?
7. ¿En qué sector industrial está el producto?
8. ¿Cuáles son los productos habituales en esta industria?
9. ¿Cuál es el rol de este negocio en la industria? ¿Es estándar o innovador?

HERRAMIENTAS EMPRENDEDORAS *(cont.)*

10. ¿Qué se piensa reducir, eliminar, incrementar o crear como propuesta de valor para esta industria?
11. ¿Quién hace algo similar, para quién y por qué?
12. ¿Cuáles son los canales de distribución de este producto?
13. ¿Cómo cambia el precio según los diferentes canales?
14. ¿Cómo es la cadena de flujo del producto desde la fuente hasta el consumidor final?
15. ¿Cuál es la posición del negocio en la cadena del valor agregado?
16. ¿Pueden inventarse nuevos canales de distribución?
17. ¿Cómo están relacionadas las pérdidas y las ganancias del negocio con su posición en la cadena del valor agregado?
18. ¿Qué mejoras introduce el producto para el usuario final?
19. ¿A qué producto o servicio desplaza?
20. ¿Existe una necesidad insatisfecha verificable en el mercado?
21. ¿Cuáles son las variables más importantes del contexto? ¿Influyen negativa o positivamente en el negocio? ¿Cómo pueden medirse y evaluarse?
22. ¿Cuáles son las razones principales por las que el negocio puede o no resultar exitoso?
23. ¿Por qué tendría éxito?

GRANDES RETOS, GRANDES EMPRENDEDORES

Vale reiterar la importancia de las presentaciones agradables, claras e impactantes.

Como ejemplo de lo anterior, se puede recurrir a la muy llamativa presentación que hace la empresa *InterGráficas*[3]; con un sencillo diagrama definen su negocio de tal modo que cualquiera puede entender fácilmente de qué se trata:

25 http://www.intergraficas.com/esp/negocio.htm

GRANDES RETOS, GRANDES EMPRENDEDORES *(cont.)*

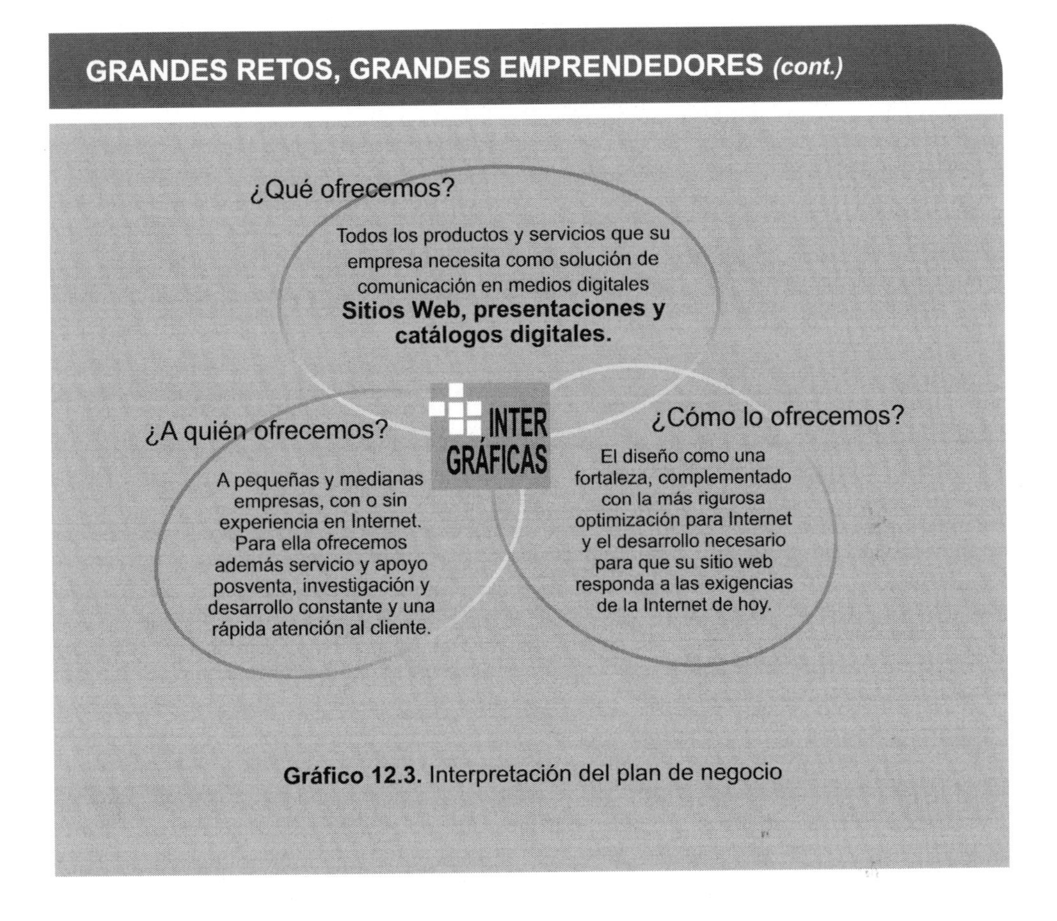

Gráfico 12.3. Interpretación del plan de negocio

12.1.2 Desarrollo del negocio

Este aspecto implica la clasificación de diferentes acciones, tareas y actividades que implican la empresa y el producto o servicio que se pretender crear.

Comprende cinco áreas fundamentales que responden a las siguientes inquietudes: cómo será el desarrollo técnico del producto, cómo se cree que se va a comportar el mercado, cómo será el desarrollo de la organización, qué tipo de gráficos de avance se usarán para medir el proceso de ejecución del proyecto, y observar las desviaciones que ocurren, y cuál es la descripción del manejo de presupuestos y controles.

Gráfico 12.4. Desarrollo del negocio

HERRAMIENTAS EMPRENDEDORAS

Enseguida aparece la relación de preguntas que dan las pautas para describir el desarrollo del negocio:

1. ¿Cómo se desarrollará el producto?
2. ¿Cuál es la arquitectura?
3. ¿Qué componentes deben ser desarrollados?
4. ¿Cuáles son las áreas de riesgo técnico?
5. ¿Cuáles son los fundamentos tecnológicos del desarrollo?
6. ¿Cómo es la organización que está encargada del desarrollo?
7. ¿Qué hay que hacer para desarrollar el producto?
8. ¿Cuál es el cronograma?
9. ¿Cuál es el camino crítico para el desarrollo?
10. ¿Es necesario desarrollar materiales?
11. ¿Qué plan se tiene para controlar y evaluar el desarrollo?
12. ¿Cuáles son los puntos clave para desarrollar el mercado?
13. ¿Cómo acompañará la organización el desarrollo del mercado?
14. ¿Cuáles son las fechas clave?
15. ¿Está previsto el rediseño del producto si el mercado así lo exige?
16. ¿Cuál sería el cronograma de este rediseño?
17. ¿Cuáles son los procedimientos de control para cada punto del desarrollo?

12.1.3 Mercado

Para muchos expertos el análisis de mercado es la parte más importante del plan de negocios, dado que establece si la idea que se propone es factible y provechosa desde el punto de vista de la oferta y la demanda de productos. En este contexto, además, se presenta la descripción básica del propósito de la empresa.

Facilita la comprensión de esta variable recordar que se define como mercado al conjunto de sujetos (personas, familias, empresas, organizaciones), dotados de poder de adquisición, es decir, con dinero para gastar.

Las dimensiones del mercado se calculan en términos de volumen del negocio —cuánto dinero se mueve—; de población —cuántos son los clientes—, y de densidad —cómo están distribuidos sobre el territorio.

Gráfico 12.5. Estrategias del mercado

VOCES PARA LA ACTITUD EMPRENDEDORA

- Responda cada una de las preguntas del cuestionario y al terminar exponga cuáles van a ser las condiciones de desarrollo de su negocio.

Para abarcar el panorama completo del mercado es necesario definir elementos como el público objetivo y determinar el perfil del supuesto consumidor; hay que precisar la necesidad, el uso y los beneficios del producto, y describir las estrategias de precio, distribución, ventas, publicidad y promoción que se emplearán.

NOTA:

Para muchos el análisis de mercado es la parte más importante del plan, porque establece si lo propuesto es factible y provechoso, desde el punto de vista de la oferta y la demanda.

HERRAMIENTAS EMPRENDEDORAS

El listado de preguntas que se transcribe a continuación sirve de guía para que el emprendedor pueda estimar el mercado de la futura empresa:

1. ¿Quién va a comprar el producto?
2. ¿Qué necesidad satisface el producto?
3. ¿Por qué los clientes comprarían el producto?
4. ¿Cuál es el tamaño del mercado?
5. ¿Cuál es la velocidad de crecimiento del mercado?
6. ¿En detrimento de qué mercado crecerá éste?
7. ¿Cuál será el tamaño del mercado en los próximos tres, cinco, diez años?
8. ¿Cuál es la participación de este producto en ese mercado?
9. ¿Cuál es la participación de los demás competidores?
10. ¿Cómo se espera que sea percibido el producto?
11. ¿Por qué este producto es diferente?
12. ¿Cuáles son los beneficios del producto?
13. ¿Cómo se va a comunicar a los clientes la existencia del producto?
14. ¿Cómo se evalúan los competidores?
15. ¿Se va a competir frontalmente o el producto se posicionará en un nicho?
16. ¿Qué hace única a esta empresa?
17. ¿Cuál será la unidad de venta del producto?
18. ¿Cuál será el precio de la unidad de venta?
19. ¿Cuáles son los fundamentos de este precio?
20. ¿Qué flexibilidad de precios tiene el producto?

HERRAMIENTAS EMPRENDEDORAS *(cont.)*

21. ¿Cuál será el precio para los diferentes segmentos de mercado?
22. ¿Qué relación existe entre el precio del producto y el de los competidores?
23. ¿Cuáles serán los márgenes de utilidad en los diferentes canales de distribución?
24. ¿Qué interdependencia existe entre los diferentes canales de distribución?
25. ¿Qué caracteriza a los distintos ofertantes de los canales de distribución?
26. ¿Cómo será distribuido el producto?
27. ¿Cuáles son los costes de distribución?
28. ¿Existen canales alternativos?
29. ¿Cómo se piensa preservar el reconocimiento de la marca?
30. ¿Cuál será la estrategia de ventas?
31. ¿Cuál será el plan de promoción?
32. ¿Cómo será la organización de ventas?
33. ¿Qué hace único al producto?
34. ¿Cuánto tiempo puede tardarse en copiar el producto y en venderse?
35. ¿Cuáles son los factores de éxito en este negocio?
36. ¿Tiene nuestro negocio alguna barrera de salida?
37. ¿Cuáles son las barreras de entrada para la competencia?
38. ¿Cuánto tiempo puede durar nuestra distancia de la competencia?
39. ¿Cuál es el ciclo de vida del producto?
40. ¿Cuáles son los ingresos estimados en cada canal de distribución y totales?
41. ¿Cuál es el ingreso de equilibrio?
42. ¿Existe un modelo detallado para calcular los ingresos?
43. ¿Cuál es la mezcla de productos que maximiza la ganancia?
44. ¿Cuál es la mezcla de canales de distribución y segmentos que maximiza la ganancia?

12.1.4 Competencia

A la competencia pertenecen todas las empresas que ofrecen productos y/o servicios que satisfacen la misma necesidad que atendería el negocio que se pretende crear.

Cuando en el plan de negocio se expone lo referente a la competencia, deben presentarse en detalle los principales rivales: qué planes tienen, cuáles son la experiencia y la trayectoria acumulada, con qué capital humano cuentan, cuáles son sus fuentes de financiación, quiénes son sus proveedores y, como punto crucial, las estrategias que utilizan actualmente y las que se prevé que pondrán poner en práctica.

Es determinante esclarecer cuáles son las debilidades y fortalezas de los competidores, sus canales de distribución y todo lo que indique cómo son las tácticas de comercialización. En síntesis, hay que precisar las particularidades y la posición de la oferta que se pretende hacer en relación con la competencia.

Gráfico 12.6. Estrategia contra la competencia

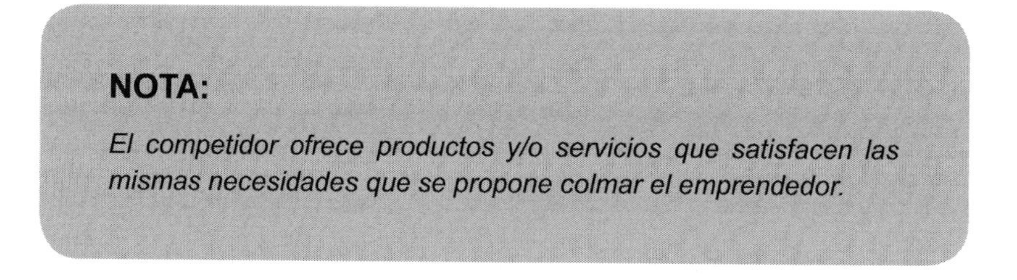

NOTA:

El competidor ofrece productos y/o servicios que satisfacen las mismas necesidades que se propone colmar el emprendedor.

VOCES PARA LA ACTITUD EMPRENDEDORA

- Desarrolle las preguntas planteadas y establezca la descripción del mercado correspondiente a su plan de negocio.

HERRAMIENTAS EMPRENDEDORAS

El cuestionario siguiente es una contribución importante para desentrañar los aspectos que deben conocerse acerca de la competencia:

1. ¿Cuáles son los factores clave de este negocio?
2. Al comparar el producto propio con el de la competencia, ¿cuáles son las diferencias en las áreas técnicas y de mercado?
3. ¿Qué peso tiene cada factor y cómo se determina su importancia?
4. ¿Quiénes son los competidores?
5. ¿Producen productos similares o sustitutos?
6. ¿Qué ingresos produce el mercado total en la actualidad?
7. ¿Cuál es la participación actual de cada competidor?
8. ¿Cuáles son los beneficios clave de cada producto del competidor?
9. ¿Cuáles son los mercados que se atienden en la actualidad?
10. ¿Cómo se identifica cada competidor con los factores clave para el éxito en este negocio?
11. ¿Se han considerado posibles coaliciones, aventuras compartidas y otro tipo de asociaciones flexibles?
12. ¿Se puede hacer una lista de fortalezas y debilidades de esta empresa y de la de los competidores?
13. ¿Se puede posicionar esta empresa y la de los competidores en términos de fortalezas operativas, tecnológicas y de mercado?
14. ¿Qué estrategia utilizan los competidores más importantes?
15. ¿Cómo pueden atacarse o neutralizarse esas estrategias?
16. ¿Cómo se posicionará este producto con respecto a la competencia?

12.1.5 Operaciones

Este tópico se refiere a los gastos que intervienen en la producción o gastos de operación. Cuando se trabaja sobre este aspecto, el primer paso debe ser seleccionar las tareas que se van a realizar en orden de prioridad y al tiempo determinar si corresponden al corto, mediano y/o largo plazos.

Del mismo modo, debe tenerse pleno conocimiento de cómo se conformará la empresa, de las materias primas y productos requeridos, de las necesidades técnicas y tecnológicas, del capital humano y de la mano de obra especializada que se debe emplear, y de todo aquello que precise ser cuantificado para poder elaborar un presupuesto ajustado a la realidad.

Por lo anterior, el factor operaciones se subdivide en las áreas de organización, gastos de operación, gastos de producción, estructura fiscal, requerimientos de capital, presupuesto de operaciones y pago de dividendos.

Gráfico 12.7. Estrategia de operaciones de una empresa

HERRAMIENTAS EMPRENDEDORAS

Las preguntas que aparecen enseguida son una guía para presentar las operaciones de la futura empresa de manera enfocada y bien desarrollada, y sirven de marco para la ejecución de las tareas:

1. ¿Quién hace cada tarea y por qué?
2. ¿Cómo es la estructura organizacional?
3. ¿Cuáles son los cargos clave?
4. ¿Cómo crecerá la organización con el negocio?
5. ¿Cuánto cuesta el personal?
6. ¿Quién se encarga de la fabricación y a qué costo?
7. ¿Existen subcontratistas y es posible la subcontratación?
8. ¿Cuáles serán los indicadores de gestión?
9. ¿Cuál es la figura legal y/o societaria más apropiada para el negocio?
10. ¿Quiénes son los socios y cómo se distribuye la tenencia accionaria?
11. ¿Qué tipo de maquinaria y equipos se van a utilizar?
12. ¿Qué requerimientos tienen esos equipos?
13. ¿Se ha determinado quiénes serán los proveedores?

12.1.6 Estimaciones financieras

Con las estimaciones financieras, en primer término, se puntualizan las necesidades de recursos económicos, las fuentes de donde provendrán y las condiciones de acceso a ellas. Si la adquisición de recursos implica financiación, es necesario calcular los gastos financieros y los aportes que se hacen a capital cuando se trabaja con créditos.

En segundo lugar, se proyectan los resultados económicos esperados, se describen las bondades financieras de la propuesta y se sustenta su viabilidad comercial.

Al efectuar la estimación financiera se contemplan el origen y la aplicación de fondos, el presupuesto de ingresos, el cuadro proyectado de pérdidas y ganancias, y se visualiza lo que será el balance general de la empresa, con lo que se muestra la posición financiera de la misma en un momento determinado, y se señala la capacidad que poseerá para saldar los pasivos.

De igual modo, se considera el flujo de caja, mecanismo que esclarece las necesidades de recursos y las opciones adecuadas en el momento de pactar plazos de reembolsos, de cancelación de préstamos y de pago de los intereses.

VOCES PARA LA ACTITUD EMPRENDEDORA

Resuelva el cuestionario anterior y con base en las conclusiones obtenidas describa las operaciones de la futura empresa.

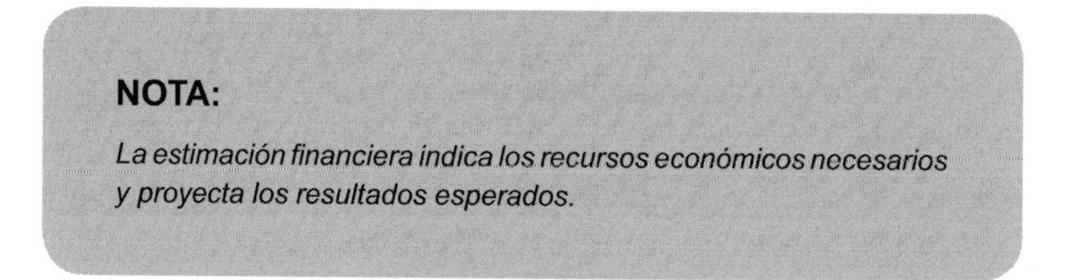

Por último, se contemplan el valor actual neto, que es el valor de la inversión en el momento cero, y la tasa de retorno, que es la tasa máxima que se puede pagar por la financiación del proyecto, es decir, al pagar un préstamo con los ingresos generados, si se utiliza esa tasa, no habrá pérdidas ni ganancias.

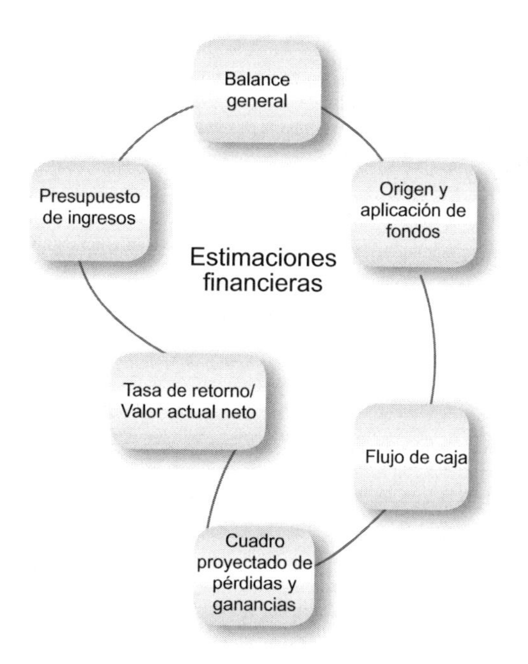

Gráfico 12.8. Estimaciones financieras

GRANDES RETOS, GRANDES EMPRENDEDORES

Recordar la historia de cómo surgió la idea de efectuar un plan de negocio sirve para dilucidar qué tan significativo es el aporte de la técnica al éxito de una empresa naciente.

Algunos teóricos afirman que el concepto surgió en 1984 como una propuesta de dos estudiantes de un MBA[4] de la Universidad de Texas, que pretendían organizar una actividad tan retadora y acreditada como los famosos debates que se llevaban a cabo en las facultades de derecho.

La pareja de estudiantes organizó a sus compañeros en varios equipos. Cada equipo debía concebir una idea de negocio y presentarla mediante un plan a los posibles patrocinadores, inversores, financieros, abogados y asesores gerenciales.

Los resultados de la competencia fueron tan alentadores que cinco años después se efectuó la primera competencia abierta con equipos de otras universidades, como las de Havard, Wharton y Carnegie Mellon. Al año siguiente, la prueba traspasó las fronteras y empezaron a participar delegaciones de universidades de otros países, como las del Reino Unido, Francia y Australia. Con el paso del tiempo los planes fueron cada vez más populares y se convirtieron, como ocurre hoy, en una herramienta utilizada por los sectores públicos y privados para promover la creación de empresas.

En la actualidad los planes de negocio se catalogan como el documento puntual y estructurado que representa la empresa que se desea emprender, y que permite efectuar un seguimiento periódico sobre cada actividad que se proponga al respecto.

VOCES PARA LA ACTITUD EMPRENDEDORA

- Plantee cuál sería el origen de los fondos que invertiría en su proyecto y describa cómo los aplicaría.

26 Master in Business Administration, (Maestría en Administración de Negocios).

12.2 RESUMEN EJECUTIVO

La primera impresión es la que cuenta. Eso es lo que va a ocurrir con el resumen ejecutivo del plan de negocios de una empresa. La calidad de su presentación y de su contenido puede seducir o disuadir al grupo de inversores, a los posibles socios e incluso determinar si se continúa con el estudio del plan de negocios o simplemente se abandona esa idea.

Lo anterior ocurre porque el resumen ejecutivo constituye una sinopsis del plan. Se utiliza para mostrar el proyecto a los posibles inversores y, en consecuencia, debe ser el gancho que los atraiga. En muchos casos, es la herramienta que se utiliza para determinar si se crea una empresa o se cambia de parecer.

Como de alguna manera se trata de la introducción del formato extenso, de modo muy claro se debe exponer la idea que se quiere desarrollar. Es necesario señalar cómo y con quién se pretende hacer realidad la propuesta, indicar el segmento del mercado al que va dirigida, la inversión total requerida y las fuentes de financiación.

Los siguientes puntos deben precisarse en ese resumen ejecutivo:

- Nombre comercial del producto o servicio que se propone.
- Objetivos que se tengan.
- Localización de la empresa, es decir, su dirección física.
- Tipo de negocio: innovación, valor agregado, entre otros.
- Posibles alianzas: participación en clusters, en cadenas productivas, etc.
- Posibles colaboradores o asesores.
- Cifras sobre el potencial de mercado, ya sea regional, nacional o internacional.
- Ventajas competitivas y propuestas de valor que aseguren el éxito del negocio.
- Descripción de las inversiones requeridas.
- Proyecciones de ventas.
- Proyecciones financieras y evaluación de viabilidad.
- Presentación de los miembros del equipo emprendedor y/o del equipo de trabajo.

NOTA:

El resumen ejecutivo es un elemento categórico; es el gancho para atraer inversores y muchas veces estipula si se desarrolla o no una idea.

El cuestionario que aparece a continuación ha sido desarrollado para que el creador de empresa, fundamentado en su propia reflexión, identifique los aspectos críticos del negocio, reconozca las variables que lo conducirán al éxito y las estrategias o las opciones que debe considerar antes de iniciar operaciones. Sobre todo, podrá examinar el efecto que pueden tener sus decisiones en términos cualitativos y cuantitativos.

NOTA:

El resumen ejecutivo constituye una sinopsis del plan.

12.2.1 La esencia del negocio

- ¿Cuál es nuestro negocio? Satisfacer las necesidades de....
- ¿Qué hacemos y para quién?
- ¿Qué producto o servicio se pretende ofrecer?
- ¿Qué hacemos nosotros y qué no hace la competencia?
- ¿Por qué y para qué se necesita el servicio?
- ¿En qué sector industrial está el producto o servicio?
- ¿Cuáles son los productos o servicios actuales de esta industria?
- ¿Qué lugar ocupa en la cadena del valor esta idea de negocio y cómo se pudiera aprovechar la estructura actual del sector?
- ¿Cuál sería el papel de este servicio en el sector?
- ¿A qué servicio desplaza?
- ¿Por qué razones el negocio pudiera no funcionar?
- ¿Qué determina el éxito del negocio?

VOCES PARA LA ACTITUD EMPRENDEDORA

- Luego de responder cada una de las preguntas expuestas a continuación, haga una lista de las decisiones que concluye que debe tomar o de los aspectos que debe considerar para iniciar su empresa. Eso le ayudará a construir su plan de negocios.

12.2.2 El mercado

- ¿Cuál es el target o grupo objetivo al que se ofrecerá el producto o servicio?
- ¿Cuál es el beneficio del producto o servicio?
- ¿Por qué los clientes comprarían el servicio?
- ¿Cómo se determinará el precio?
- ¿Cuál es la estrategia de distribución, es decir, cómo se llegará a los clientes?
- ¿Cuál es la estrategia de ventas?
- ¿Cómo se comunicará a los clientes el servicio?
- ¿En detrimento de qué mercado va a crecer el nuestro?
- ¿Cómo se piensa preservar el reconocimiento de la marca?
- ¿Cuánto tiempo pueden tardarse los clientes en copiar el producto o servicio?
- ¿Cómo se va a proteger la idea?

12.2.3 La competencia

- ¿Quiénes son los competidores?
- ¿Hay productos similares o sustitutos?
- ¿Se han considerado posibles alianzas o joint-ventures? ¿Con quién y por qué?
- ¿Cuáles son los obstáculos o barreras de entrada al negocio?
- ¿Cuáles son las debilidades de la competencia?
- ¿Cuáles son los atributos de mi proyecto que no tiene la competencia?

12.2.4 Desarrollo técnico del negocio

- ¿Cómo se desarrolla el negocio? ¿Cómo se organiza el servicio o producto?
- ¿En cuáles áreas existe riesgo técnico; es decir, en qué aspectos se puede ser vulnerable ante los competidores?
- ¿Qué medidas se tomarán para reducir el riesgo técnico?
- ¿Qué se tiene previsto para controlar el desarrollo operativo del proyecto?
- ¿Cuáles son las fechas clave para el desarrollo? ¿Cuándo debe estar listo?

12.2.5 Operaciones

- ¿Qué actividades necesito establecer para que el proyecto funcione?
- ¿Cuáles corresponden a la etapa preoperativa y cuáles a la de funcionamiento?
- ¿Se trabajará con subcontratistas?
- ¿Cuáles serían las posibles actividades subcontratadas y quién las realizará?

- ¿Cuánto personal propio se necesita y cuánto por subcontratación?
- ¿Cuál de las opciones sería mejor para el proyecto?
- ¿Qué tipo de sociedad sería el apropiado?
- ¿Quiénes serían los socios y cómo se distribuirá la tenencia accionaria?
- ¿Cómo se piensa retribuir a los accionistas?

12.2.6 Cuadros financieros

- ¿Cuáles deben ser las ventas mensuales, en moneda nacional, para el primer año?
- ¿Cuáles son los costes y gastos mensuales?
- ¿Cuáles son los presupuestos de inversión requerida? ¿Por qué conceptos?
- ¿Cómo es el resumen de ingresos, costes y gastos mensuales?
- ¿Cuáles son las necesidades de efectivo, según el análisis anterior?
- ¿Cuál es el punto de equilibrio? Es decir, ¿cuánto se tiene que vender al mes para no perder?

Como se puede deducir, son variadas las opciones para divulgar el contenido del resumen ejecutivo. La condición es que, sin importar el formato que se utilice, se efectúe una presentación atrayente, tanto por lo que se propone como por lo que a simple se observa.

HERRAMIENTAS EMPRENDEDORAS

CÓMO PRESENTAR EL RESUMEN EJECUTIVO

En la página del *Centro de Información y Recursos para PyMEs de Microsoft* [5] se ofrece información útil para propietarios y colaboradores de pequeñas y medianas empresas, entre ellas, la relacionada con el resumen ejecutivo. Además se ofrece una plantilla para *Power Point* para efectuar la presentación audiovisual del mismo. Esa plantilla contempla los siguientes ítems:

1. Título

[Nombre de la futura empresa]
Plan de negocios

27 http://www.microsoft.com/mexico/pymes/issues/starting/businessplan.mspx

HERRAMIENTAS EMPRENDEDORAS *(cont.)*

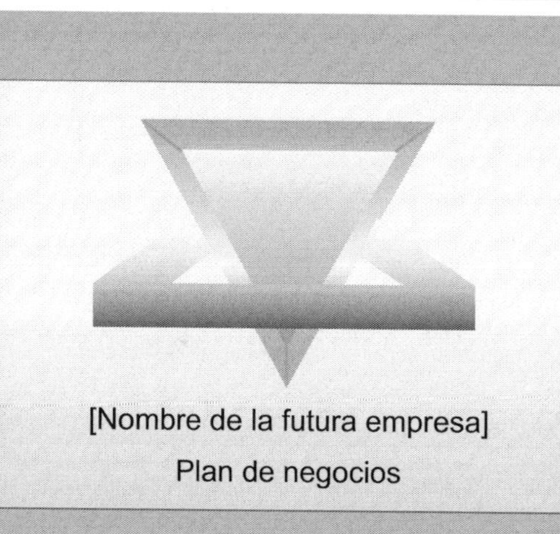

2. Exposición del objetivo

- Una clara exposición del objetivo de su organización a largo plazo. Usar palabras que ayuden al desarrollo de la organización, pero siendo tan conciso como sea posible.

3. El equipo

- Nombrar al director general y a las personas clave de la dirección.
- Incluir logros anteriores para mostrar que se trata de personas con un historial de éxitos.
- Resumir los años de experiencia en este campo.

4. Resumen del mercado

- El mercado: pasado, presente y futuro.
- Revisar cambios en la cuota de mercado, liderazgos, participantes, fluctuaciones del mercado, costos, precios o competencia que proporcionen una oportunidad para el éxito de su organización.

5. Oportunidades

- Problemas y oportunidades.
- Exponer las necesidades del consumidor y definir la naturaleza de las oportunidades del producto o servicios creados para satisfacerlas.

HERRAMIENTAS EMPRENDEDORAS *(cont.)*

6. Concepto de negocios

- Resumir las claves tecnológicas, conceptos o estrategias en los que se basa su negocio.

7. Competencia

- Analizar a la competencia.
- Resumir las ventajas competitivas de su organización.

8. Metas y objetivos

- Metas a 5 años.
- Indicar objetivos específicos mensurables.
- Exponer los objetivos de cuota de mercado.
- Indicar los objetivos de ganancias y beneficios.

9. Plan financiero

- Plan financiero que defina el modelo de financiación y los precios, y que revise anualmente las expectativas de ventas y beneficios de los próximos tres años.
- Usar varias diapositivas para cubrir este material adecuadamente.

10. Requisitos de recursos

- Requisitos tecnológicos.
- Requisitos de personal.
- Requisitos de recursos: financiación, distribución, promoción, etc.
- Requisitos externos: productos, servicios o tecnología necesaria que tiene que adquirirse fuera de la organización.

11. Riesgos y ventajas

- Riesgos.
- Resumir los riesgos del proyecto propuesto.
- Identificar los riesgos.
- Resumir cómo pueden controlarse los riesgos.
- Gratificaciones.
- Estimar la rentabilidad esperada, en particular si está buscando fondos.

HERRAMIENTAS EMPRENDEDORAS *(cont.)*

12. Asuntos clave

- A corto plazo: Aislar los problemas y decisiones clave que precisan una solución a corto plazo.
- A largo plazo: Aislar los problemas que precisan una solución a largo plazo y exponer las consecuencias de retrasar decisiones.

Si está buscando financiación, indicar los detalles.

12.3 GUÍA DIDÁCTICA PARA EMPRENDER

12.3.1 CASO Nº 1. El plan de negocio de informática estratégica

Gustavo Redes es un experto en computación, docente en varias universidades y asesor de grandes empresas. Ahora quiere aprovechar su buena experiencia y ha pensado crear su propia empresa. La llamará Informática Estratégica, IE, y ofrecerá servicios de alta calidad en capacitación en computación, porque sabe que el dominio de la continua evolución que se presenta en ese campo facilita el trabajo de las empresas.

Inicialmente el negocio tendrá su sede en Bogotá, en la calle 74 con carrera 13, en pleno corazón del centro financiero de la ciudad. Además de ser una zona universitaria, el área cuenta con buen servicio de transporte público y grandes facilidades de parqueo. No obstante, la IE podrá dictar los cursos en las instalaciones de los clientes que así lo requieran.

Gustavo está negociando favorables condiciones de arrendamiento, por lo que los costes por ese concepto serán relativamente bajos, lo que repercutirá en el valor de las matrículas. Las condiciones pactadas son las siguientes: un contrato de arrendamiento a tres años, automáticamente renovable; canon de arrendamiento mensual de $1.500.000 para el primer año, $1.700.000 para el segundo y $1.900.000 para el tercero. Si el contrato se renueva, el incremento será del 6% por año. Este canon incluye el pago de las cuentas de agua, recolección de basura y administración del inmueble.

En principio, la IE programará cursos para el manejo de las distintas versiones de Windows Vista, Microsoft Office 2007, Office Communications Server 2007, Office Live

Meeting, Communicator Web Access, Communicator Mobile, y creación y mantenimiento de sitios Web.

Según los cálculos hechos por Gustavo, los ingresos que recibirá la empresa en su primer año de funcionamiento se aproximan a los 50 mil dólares. Se cobrará un precio considerablemente menor que las grandes empresas por los servicios de capacitación, ya que los gastos generales serán más bajos y se tendrán menos empleados.

Gustavo ha calculado que puede ofrecer seis horas de capacitación para principiantes en Windows, Excel, y Word a $300.000 por estudiante. Los niveles avanzados de esos programas se ofrecerán a $330.000 por persona. El paquete completo, que incluye Office, Windows Vista y creación y mantenimiento Web, costará $760.000 pesos colombianos por alumno. Todos esos precios son representativamente más bajos que los de la competencia.

Además, la IE está en capacidad de ofrecer material didáctico propio, desarrollado por el ingeniero Redes. Este material se entregará sin ningún coste adicional, en CD-ROM o podrá descargarse de la Web mediante el empleo de una clave especial que recibirá cada alumno inscrito. Como se trabajará con programas de computación populares, es factible llegar a una muy buena parte del segmento del mercado que corresponde.

Gustavo cree que la figura jurídica más conveniente para su negocio es la de una sociedad anónima, pues así puede dar participación a quienes tienen intereses en el área de la informática. Por lo pronto, cuenta con la ayuda de su amiga Ana Cuadros, una administradora de empresas muy competente, especialista en mercadeo y también docente en varios planteles de educación superior, quien se encargará del área administrativa y financiera. Su salario será de $5.000.000 mensuales.

Como tiene un gran número de antiguos alumnos, hoy destacados colegas, Gustavo seleccionó un grupo de cinco instructores, quienes ya manifestaron su complacencia de trabajar en la empresa. De ellos, dos se vincularán como empleados de tiempo parcial, con un salario de $2.000.000, y los demás acordarán su remuneración según las horas/cátedra que se programen para cada uno. Además se contratarán los servicios de dos auxiliares de cátedra y un técnico que se encargue del mantenimiento de equipos, que se efectuará en el tiempo en que no se usan los aparatos. El salario del técnico será de $800.000 mensuales.

Es importante saber que Gustavo ya efectúo una investigación de mercado y los resultados fueron muy alentadores, porque el sector está en plena expansión y la cantidad y variedad de innovaciones en software, además del impacto de la Internet, estimulan a las empresas a capacitar a sus empleados en estos temas. Según una investigación reciente, 83% de 1.700 propietarios de negocios encuestados detecta esta necesidad de entrenamiento.

Tiene pensado vender sus servicios al mercado de pequeñas empresas y para hacerlo enfatizará en la importancia de identificar las necesidades reales de información, tiempo y presupuesto de las PYME.

Aunque hará publicidad en varias revistas de pequeñas empresas y de casas matrices, Gustavo considera que la mejor opción para promover su negocio es el famoso boca a boca. Entonces ha diseñado unos talleres que dictará gratuitamente en los programas para emprender negocios que semanalmente desarrolla la Cámara de Comercio, y ha comenzado a escribir artículos para los sitios Web de apoyo a las PYME.

Ana y él piensan que lo mejor es contactar personalmente a los propietarios de las empresas, con el fin de establecer sus necesidades de informática y proponerles cómo satisfacerlas rápida y económicamente. Esta misma táctica se usará con los clientes antiguos y no se dependerá de una fuerza de ventas.

Después de los salarios, los gastos más grandes que tendrá la IE serán el coste de las computadoras y el de las adecuaciones de las aulas para capacitación.

Un análisis exhaustivo de las opciones llevó a que Ana y Gustavo optaran por el arrendamiento de equipos con opción de compra, pues este tipo de aparatos se vuelven obsoletos en un período de tiempo relativamente corto y la empresa debe tener unas computadoras que por lo menos sean tan sofisticadas como las que usan los clientes.

VOCES PARA LA ACTITUD EMPRENDEDORA

- Con la información anterior, elabore el plan de negocio de IE.
- Incluya en ese plan la esencia del negocio, el mercado al que debe enfocarse la empresa, análisis de competencia, operaciones, estructura de organización requerida y estimaciones financieras.
- Analice si cuenta con la información suficiente para realizar el plan y en caso negativo, justifique su decisión
- Ahora, diseñe el plan de negocio de la empresa que tiene en mente y forje con éxito su propio negocio.